OS CÓDIGOS DO MILHÃO

COMO DESBLOQUEAR AS ILHAS NEURONAIS DA RIQUEZA

PABLO MARÇAL

OS CÓDIGOS DO MILHÃO

COMO DESBLOQUEAR AS ILHAS NEURONAIS DA RIQUEZA

6ª Impressão 2024

Presidente: Paulo Roberto Houch
MTB 0083982/SP

Coordenação Editorial: Priscilla Sipans
Coordenação de Arte: Rubens Martim (capa)
Revisão: Mirella Moreno

Vendas: Tel.: (11) 3393-7727 (comercial2@editoraonline.com.br)

As citações bíblicas fora extraídas da edição
Almeida Revista e Corrigida

Projeto Gráfico e Editorial: Editora Plataforma
Coordenação Editorial: Elisangela Freitas
Filipe Mouzinho

Foi feito o depósito legal.
Impresso no Brasil

Dados Internacionais de Catalogação na Publicação (CIP)
de acordo com ISBD

M313c Marçal, Pablo

Os Códigos do Milhão / Pablo Marçal. - Barueri : Camelot Editora, 2023.
208 p. ; 15,1cm x 23cm.

ISBN: 978-65-85168-26-7

1. Autoajuda. I. Título.

2023-1094 CDD 158.1
CDU 159.947

Elaborado por Vagner Rodolfo da Silva - CRB-8/9410

IBC — Instituto Brasileiro de Cultura LTDA
CNPJ 04.207.648/0001-94
Avenida Juruá, 762 — Alphaville Industrial
CEP. 06455-010 — Barueri/SP
www.editoraonline.com.br

SUMÁRIO

PREFÁCIO

Entramos em uma frequência de guerra, e agora você não é mais soldado. Ao começar essa leitura, você pegou sua patente de general, eu sou um patriarca no comando e vou te treinar para a prosperidade.

VOCÊ AGORA É UM GENERAL DE GUERRA.

O que realmente interessa aqui não é somente o dinheiro, mas sim os resultados; resultados não têm fim, eles liberam uma alegria que traz uma energia cíclica, e o melhor, um resultado nunca morre. Depois que destravei todos os resultados que eu já tive na vida, percebi uma coisa: nunca fazer nada por dinheiro. O dinheiro será somente uma bonificação pelo resultado extraordinário que você terá. Sacou? Eu quero que você se veja como um general que defende seu país.

Você vai fazer uma analogia, a sua casa e sua família serão como uma nação, e você será o patriarca dessa nação. Em um contexto bíblico, diversas famílias são como nações.

Quero que você aprenda que nós estamos de fato em guerra, e isso não é só uma comparação, isso é algo real. A pobreza existe e ela está debaixo de uma potestade espiritual, que está devastando completamente a terra. Um terço dela já está assim, destruída.

Por que as pessoas são pobres? Acredite, pelo mesmo motivo que você era, até ontem.

Vou te ensinar um código: nunca fale no agora ou no hoje algo negativo a seu respeito, diga sempre no passado! Por exemplo, fale assim: "Eu era assim... até ontem", esse é o segredo. Você pode transformar o seu presente e futuro a partir de como você usa a sua fala, lembra do poder da língua que é citado na Bíblia?

Em Tiago 3:9 diz: "Com a língua bendizemos o Senhor e Pai, porém com ela amaldiçoamos nossos semelhantes, criados à imagem de Deus".

Por isso, cuidado com o que sai da sua boca.

Eu quero que você fique na mesma frequência que eu, desejo que você entre com o armamento certo para a guerra; aqui não vai ter "nhe nhe nhe", vai ter muito conteúdo para você destravar a sua mente. Você está pronto para isso? Eu preciso que você queira, não adianta só eu querer por você. Esse livro é uma arma poderosa para a sua transformação, a cada capítulo você vai vencer uma etapa e acontecerá um mover que não permitirá que você volte atrás, como dizia Einstein:

"Uma mente que se abre a uma nova ideia jamais voltará ao seu tamanho original."

Seja bem-vindo e vamos quebrar tudo!

INTRODUÇÃO

Pobreza nada mais é que limitação; Deus dá a semente, mas você precisa semear. A prosperidade é algo natural. Você já viu alguma árvore produzir um número limitado de frutos? Já viu uma mangueira dar dez mangas ou apenas o suficiente para suprir o respectivo "dono" dela? Vinte talvez? Não! É lógico, isso não existe.

A única árvore frutífera que pode se limitar é você, porque ainda não entendeu o natural da vida, que é prosperar. Mas para isso acontecer, você precisa produzir.

A palavra pobreza vem do latim que significa improdutividade; uma pessoa pobre é uma pessoa improdutiva. Para sair da escassez, você precisa ativar seu modo ação, começar a agir e a produzir.

Você sabia que você precisa odiar a pobreza para se livrar dela de uma vez por todas? Porque tudo o que você odeia, você não quer mais; aquilo que você repudia, você não quer de volta. Quando você entender o significado da pobreza você não vai mais querê-la em nenhuma área da sua vida.

Você é imagem e semelhança do Criador, só depende de você ter a vida que merece!

Vou te contar o caso do irmão da igreja. Cinco, dez, quinze anos repetindo a mesma oração: "Para Deus melhorar a sua vida financeira". O interessante é que todos que também pediam essa mesma oração prosperavam, e ele nada. Certo dia perguntei para ele: “Nesses anos, o que você buscou aprender sobre finanças?” Ele respondeu: “Nada!” E eu disse: “Por que você acha que não prosperou?” E ele: “Não é o tempo de Deus.” E essa era mais uma desculpa para ele esperar de Deus algo que ele mesmo deveria fazer!

Tudo está relacionado a como você aprendeu e armazenou esses fatos em sua memória. Na sua vida foram instalados muitos drivers, foram colocadas coisas na sua mente através das suas experiências, percepções da vida e criação que recebeu dos seus genitores.

Tudo que você aprendeu e a forma como aprendeu é a verdade sobre você. E é essa verdade que te limita, que te impede de experimentar o novo, o melhor e a abundância.

Por isso você está aqui. Vou te ensinar a ressignificar qualquer crença errada que te afasta do seu real lugar; vou te ensinar a agir, a produzir, a tomar posse das riquezas, a decidir onde você quer estar. Aqui você não vai apenas saciar a sua fome, você vai aprender a pescar.

Agora vai uma dica, se eu fosse você, com um livro tão bem estruturado como esse, iria fazê-lo de caderno de anotações. As tarefas já estão no final de cada capítulo e você poderá anotar as suas observações no decorrer de cada página. Assim, você realmente irá estudar, aprofundar os assuntos, checar o que você fez e validar tudo. Sacou?

Não tenha pressa, existe um processo que envolve isso tudo, você só precisa QUERER e ter ATITUDE. Você sabia que todo pobre odeia atitude? Bill Gates disse: “Não é culpa sua nascer em uma família pobre, mas é culpa sua morrer em uma.”

E aí, vai enriquecer e tirar sua família da pobreza ou isso não é para você?

Você merece mais, a sua família merece mais, a nação que você vive merece mais. Só depende das suas atitudes, e só depende de você começar a ter atitude; isso vai gerar um “regaço” na sua vida.

Para isso acontecer, você vai precisar começar a cuidar da sua vida; mas é cuidar de verdade, parar com fofoca, parar de perder tempo e fazer dela o melhor lugar para viver. Apenas não aceite a pobreza, não aceite a limitação e comece a atrair as oportunidades pelas suas atitudes.

SEJA PIOR DO QUE ELES IMAGINAM!

Repete comigo:

"EU ODEIO A POBREZA, VOU ME DESCONECTAR DISSO, PORQUE MEUS FILHOS, MEUS PAIS E MINHA NAÇÃO NÃO MERECEM ISSO! EU SOU ILIMITADO, MINHA MENTE NÃO TEM LIMITES E SÓ DEPENDE DE MIM IR ALÉM."

Comece agora mesmo a ODIAR A POBREZA para se livrar dela de uma vez por todas.

CAPÍTULO 1

OS CÓDIGOS DO MILHÃO

“Para você obter
uma vida milionária,
antes de todas essas
coisas se tornarem
realidade na prática,
você precisa lapidar
sua mentalidade.”

COMO ATIVAR AS TRILHAS NEURONAIS DA RIQUEZA

Todo ser humano pode aprender coisas incríveis de formas rápidas e também de formas lentas, e até de se reinventar nos momentos de crise. Mas, a compreensão de "educação" usada como ensino que existe em nosso país é muito diferente do conceito original da etimologia da palavra. **A palavra "educatĭo,ōnis" significa: a ação de criar. E me responda você, é isso que temos nas maiorias das nossas escolas?** Eu vou concordar com você, isso é raro por aqui. Pois nossa educação é baseada em medidas antigas e históricas com mais de duzentos anos, o que nos deixa muito longe dos países que são os primeiros colocados do rank mundial em desenvolvimento educacional, como por exemplo a Finlândia.

Se eu fosse você, iria estudar como é a educação por lá. O que importa nas escolas aqui do Brasil - claro, não dá para generalizar - mas na maioria delas, é somente a quantidade de conteúdo, limitando o aluno a ser escravo da "decoreba" sem sequer levar em conta o ócio educativo e o uso da prática.

Estudos antigos diziam que o cérebro adulto era estático; isso significava acreditar que, após um certo ponto de desenvolvimento, o cérebro não podia mais se adaptar às mudanças. Mas, isso não é verdade e hoje existem muitas comprovações de que o cérebro está sempre em um estado flexível de constante transformação, e só depende de você começar a treinar essa máquina.

Eu vou te explicar melhor: por exemplo, quando uma pessoa fala um idioma além da sua língua materna, ela já tem o drive da trilha neural instalado e isso vai facilitar o aprendizado do próximo idioma que ela escolher aprender. Essa é a diferença de quem vai ter que fazer esse esforço pela primeira vez: vai ter que abrir a trilha neural.

Imagina um cabeamento de rede elétrica onde você pode utilizar os mesmos fios antigos para instalar uma nova tomada na rede; e quando um novo fato precisar ser aprendido, essa pré-fiação vai ser usada para acelerar o processo de aprendizagem desse novo fato.

Foi exatamente aí que tive o entendimento de como a neuroplasticidade funciona. Ela é justamente essa capacidade que o cérebro tem de reorganizar os neurônios para dar respostas e soluções ao aprendizado e às suas experiências. E eu decidi "deitar o bambu" no meu cérebro e não aceitar nada que o meu cérebro pensa ou acha sobre mim; eu só aceito o que o meu Criador diz ao meu respeito e essa é a minha verdade.

Você sabia que o seu cérebro é muito econômico e preguiçoso? Ele nunca quer gastar energia com nada. Vai sempre dizer que você é maluco se pensar em fazer alguma coisa que vai dar trabalho; ele é o primeiro a te chamar de doido. Você deve e pode treinar o seu cérebro a se reconectar com novas ações, fazer coisas novas e criar, como o seu Criador faz!

Por exemplo, ao aprender a tocar um instrumento, o cérebro cria novas vias neurais em resposta aos movimentos e é exatamente como descrevi antes sobre a fiação: se ela já está pronta como uma estrutura, é só ligar novos aparelhos nessa antiga rede. Essas atividades requerem repetição: quanto mais você pratica uma atividade, mais as suas trilhas neurais se tornam reforçadas. E quanto mais forte essa conexão, melhor será a execução das tarefas.

Desta forma, estudos revelam que para aprender a falar novamente após uma lesão cerebral, você precisa praticar a fala repetidamente. O mesmo princípio pode ser aplicado se você deseja melhorar a gestão das suas riquezas ou a sua gestão de vida como um todo. Com prática suficiente, o seu cérebro vai ser o responsável por criar novas trilhas neurais e você irá desenvolver essa função com naturalidade.

É por isso que eu insisto tanto que você faça as tarefas, que as execute hoje e agora, pois elas são muito importantes na aceleração dos seus resultados.

Então entenda algo, se de fato você quer prosperar, amigo, do fundo da minha alma, eu vou te passar todos os códigos que já destravaram as coisas mais surreais da minha vida; coisas naturais e coisas sobrenaturais. De que modo você vai conseguir fazer isso? Aqui tem um código violento: pare de viver de condição, ela não pode mais ser a sua coroa. Ela precisa parar de reinar na sua vida hoje.

A ação precisa ser a sua espada! Pare de viver preocupado, isso é só uma fase; mas preste atenção, essa fase pode paralisar muitas pessoas e elas nunca mais conseguem prosperar pela falta de confiança. Outro motivo da queda de muitos é: ouvir os outros. Nunca aceite conselho de quem não fez, de quem não quer ir onde você está indo ou não quer deixar você ir, e de quem vive frustrado. Quem vive frustrado pode te ajudar muito, só te mostrando os erros dele para você não cometer os mesmos no caminho; mas, não foque no resultado dele, foca só no que deu errado para você não fazer igual.

E o terceiro ponto que eu quero deixar bem claro para você é: pare de ouvir "críticas construtivas", elas não existem; toda crítica já é algo destrutivo. Aprenda isso agora, e use em toda a sua vida de hoje em diante. Se você quiser realmente ajudar alguém, nunca critique: dê as soluções usando sugestões, aí você vai ter compromisso com o resultado da pessoa. As críticas sempre falam de algo que já deu errado, no passado; sabe aquele famoso feedback? Eu prefiro a palavra *forward*, que significa o movimento ou o direcionamento à frente, ou seja, sugestões para direcionar o futuro da pessoa.

Para você obter uma vida milionária, antes de que todas essas coisas se tornarem realidade na prática, você precisa lapidar sua mentalidade. Ou seja, os seus pensamentos precisam estar alinhados com os resultados de um futuro brilhante, para depois eles se tornarem ações correspondentes. Eles precisam ser pensamentos de abundância, de generosidade e de transbordo. Os seus pensamentos, a imaginação e a criatividade são como uma base da vida de alguém com a mente milionária.

E você, já está preparado para avançar nessa nova jornada? Fique tranquilo, eu vou te ajudar, eu estou aqui "pra" isso!

CAPÍTULO 2

CÓDIGO X

“Se você multiplicar
zero com algo, o
resultado
vai ser nada.”

A MÁGICA DA MULTIPLICAÇÃO

Sabedoria e riqueza, unidos a esse curso, eu pensei: não é possível que a matemática entrega o ouro. Sim, ela entrega e aqui está um código poderoso que eu vou te ensinar. O código que eu descobri foi que o único sinal da matemática que faz você ficar rico é o X; a soma não faz, a subtração não faz e nem a divisão faz, e eu vou te explicar o porquê de cada um deles.

Soma: são os poupadores de dinheiro. Sabe a galinha? De grão em grão a galinha enche o papo. Esse papo é furado. Se você for um poupador que não sabe multiplicar e nem canalizar recursos, você irá levar pelo menos, uns setessentos anos para prosperar. Não funciona! Os poupadores só entendem de soma. E como é a soma? De pouco em pouco. Aprende uma coisa, pouco sempre será pouco. Sacou?

Lembre-se disso: O somador é um poupador.

Subtração: é aquele que subtrai, é o consumidor. O cara que consome é o que gera problema no caixa, porque tudo que ele põe a mão é para tirar recurso. O consumidor vive comendo toda a base que tem; como ele não multiplica, usa o dinheiro principal e vai consumindo diariamente até não ter mais. Ele é um insano, é um desenfreado; ser consumidor é terrível.

Divisão: é o insensato, o faccioso, o contencioso; é aquele que separa no casamento, que desfaz sociedade o tempo todo; esse é o cara da divisão. Aquele que gosta de dar prejuízo o tempo inteiro, vive desfazendo contrato e a sua própria palavra. Esse cara é o divisor. Ele quer sempre rachar tudo. **É o sinal da matemática mais perigoso.**

Multiplicação: o multiplicador é o próspero, aquele que vive crescendo. Para prosperar você precisa dele, pois precisa de progressão, de juros compostos; VOCÊ PRECISA DA MULTIPLICAÇÃO. Poupar não é o suficiente, pois você precisa de explosão, de alavancagem, e isso, só um sinal da matemática te dá; o sinal da multiplicação.

"Pablo, que 'doidera' é essa?"

Você precisa aprender sobre o código X: é o único código que multiplica. É o princípio da multiplicação.

Vai parecer "doideira"; vou mostrar alguns cálculos para que você consiga internalizar como se fosse um painel de LED na sua cabeça:

0 x 1 = 0

- Qualquer coisa multiplicada por zero vai dar zero.

0,5 x 1 = 0,5

- Se você multiplicar meio com um inteiro, vai resultar em meio. Ou seja, o inteiro que era pleno, vai ser tornar metade.

0,5 x 0,5 = 0,25

- Se você multiplicar duas metades, o resultado será "pior" junto do que era separado. O resultado será menor do que antes de multiplicar.

Você entendeu a "doideira" que é? Cuidado com a multiplicação, pois sempre que você multiplicar uma coisa por algo abaixo de zero, como os exemplos que citei, você terá um resultado menor do que antes. Sempre que você multiplicar zero com algo, o resultado sempre será nada.

Por isso, você precisa ter um inteiro para multiplicar, esse é o segredo do código X. Por exemplo, quando Jesus ia multiplicar alguma coisa, ele sempre pegava algo que já existia; aprenda isso, todo milagre que Ele fez partiu de algo existente. Quando Ele transformou água em vinho, já existia água. Quando Ele multiplicou os pães e os peixes, já tinham 5 pães e 2 peixes. Quando Ele foi ressuscitar Lázaro, já tinha o corpo.

Toda multiplicação não parte de zero, parte de algo pleno. Você tem que ter algo pleno na mão; se não tiver, a matemática vai invalidar a multiplicação.

Você pegou o código ou não? Eu espero que sim, esse código é exponencial.

Nas tarefas você vai perceber coisas que você precisa começar a fazer para usar melhor os sinais da matemática.

Você tem que ser um multiplicador.

Fala em voz alta agora:

"EU SOU UM GENERAL DE GUERRA QUE MULTIPLICA!"

Vai ter uma tarefa para você mudar o seu olhar, pois ele precisa ser multiplicador. **Assim, quando vir algo que é divisão, você irá "cair fora"**, pois será algo que vai tomar os seus recursos. **Agora, se for algo que é multiplicação, você "vai pra cima", porque vai multiplicar.**

Uma coisa que eu não faço mais é investir em coisas que demoram anos para dar retorno, dez anos por exemplo. Há dez anos eu pensava em coisas a longo prazo; era o meu perfil de antes, hoje não é mais. Eu já ganhei uma expertise para não precisar esperar tanto, isso fiz no começo. Assim como eu, você também irá mudar o seu perfil ao longo do caminho.

Código X é isso, mudar seu olhar para um olhar multiplicador. Enxergar de forma que você se conecte na essência da matéria, criando gatilhos mentais, dando ordens para que vire dois, três, cinco ou dez. Eu faço isso de forma mental e tenho resultados experimentais de forma física. Qual é o código? O X.

O X é o único sinal que faz você ficar multimilionário ou bilionário; esse é o sinal da multiplicação, é o código do milhão e do bilhão. Não adianta você ficar aprendendo sem praticar. A prática faz o milagre da multiplicação em sua vida. Quando você aprende algo, é necessário ativar o modo ação para fazer o que aprendeu.

Os ouvidos são os maiores receptores, e essa recepção é um sinal que pode ser multiplicado. Um acordo falado, precisa ser escrito para ser validado. O que é escrito, é multiplicado ao ser visualizado. Você vê o milagre? Isso é a multiplicação de um sinal de recepção, que é a fala.

Agora você vai colocar a multiplicação em ação e fazer a tarefa.

TAREFA - Código "X"

---

1. Qual é o comportamento que está definindo os seus resultados?

( ) Poupador +
( ) Consumidor -
( ) Multiplicador x
( ) Faccioso ÷

2. Como está sua pontuação de multiplicação nestas áreas abaixo:

1 x 1 = 1
1 x 0,5 = 0,5
500 x 0 = 0
0,5 x 0,5 = 0,25

a) Casamento:

Você__________X__________Cônjuge =__________

b) Sociedade:

Você__________X__________Sócio =__________

c) Amizade:

Você__________X__________Amigo =__________

d) Colega profissional:

Você__________X__________Sócio =__________

3. Qual o seu pior hábito como um consumidor? Como irá substituir esse hábito para se tornar um verdadeiro multiplicador?

____

____

____

____

____

____

____

____

4. Escolha um hábito multiplicador para você ensinar outra pessoa. Isto aumentará em 90% a sua retenção sobre este comportamento.

____

____

____

____

____

5. Se conecte com pessoas que têm resultados financeiros. Marque uma conversa e pegue 5 códigos sobre este assunto. Liste o nome de 3 pessoas que você já conhece e selecione uma delas para matar essa tarefa.

PESSOA 1: ______________________________

PESSOA 2: ______________________________

PESSOA 3: ______________________________

6. Quais recursos disponíveis você tem hoje que podem ser transformados em renda?

Tempo? Habilidade? Ou objetos não utilizados?

a. ( ) Posso vender minha tv que não me dá nenhum retorno.

b. ( ) Posso desinstalar aplicativos de rede social do meu celular.

c. ( ) Posso parar de falar da vida dos outros e começar a discutir ideias.

d. ( ) Posso participar de um uma reunião para debater novas ideias.

CAPÍTULO 3

REALIDADE IMAGINATIVA

“Uma mentira repetida mil vezes vira uma verdade. Você acredita nisso?”

VOCÊ SABE TRANSFORMAR A SUA REALIDADE?

Ter ódio da pobreza? Às vezes, mesmo com muito dinheiro, você vai comprar algo que vai apertar o seu coração. Isso é a pobreza querendo mandar em você! Acalme-se, vai dar tudo certo.

Este capítulo é sobre realidade imaginativa; você precisa valorizar as coisas reais e tomar cuidado com as coisas imaginárias. Eu aprendi isso com um grande mentor e fez muita diferença em minha vida.

Vou te dar um exemplo, as únicas coisas reais são: árvores, rios, pessoas e animais. O restante é fruto da realidade imaginativa; você cria muita pressão na sua mente e dá valor a coisas que nem existe.

Por exemplo, a moeda de um país é só uma realidade imaginária. Um dia a moeda pode valer muito, no outro, cair abruptamente. No mercado financeiro, algumas tomadas de decisões ocasionam o aumento ou a diminuição do valor da moeda, e isso mexe demais com a economia. Mas, é tudo realidade imaginária.

Cuidado com a realidade imaginativa.

Às vezes, até a fama de alguém, o preço da empresa, a esperança de mudar de vida, de cidade, país ou coisas relacionadas são frutos da nossa imaginação.

Você deve ter muita cautela com o que você ouve, pois está sempre formando uma realidade imaginativa; tudo só porque você acredita naquilo.

Certa vez, em uma conferência de um seminário de finanças, assisti a três palestrantes falarem de economia, cada qual com um drive mental diferente.

O primeiro e mais experiente deles disse que para você ficar rico, você vai precisar de dez anos. O segundo, subiu e falou que é possível ficar rico instantaneamente, que é algo que você não precisa se preocupar. E o terceiro disse que não havia necessidade de ficar rico e que as pessoas deveriam dar tudo para os pobres.

Qual dessas três é a verdade? Ficar rico em dez anos, hoje ou apenas distribuir para os pobres?

A verdade está naquilo que você escolhe acreditar; esse é o segredo da realidade imaginativa. Por isso, cuidado com o que você acredita. Não existe sua verdade ou minha verdade, existe apenas a sua crença naquilo que pensa ser a verdade.

Por isso, você vai revisitar algumas crenças e exterminá-las. Essas crenças vão criando um sistema imaginativo, e você pensa que não existe outra verdade a não ser aquela. Questione essas verdades, pois, muitas vezes elas estão só na sua mente.

Você pode fazer parte de um grupo muito bom e achar que vocês são os melhores naquilo, só que ao perguntar para alguém de fora desse "grupo" a respeito de vocês, as pessoas nem sabem que vocês existem. Isso não os torna ruins, apenas vocês não fazem parte da realidade imaginativa daquelas pessoas, entende? Outro exemplo é alguém que é famoso em sua cidade ou país, mas quando vai para outro lugar que as pessoas o desconhecem, ele se torna alguém comum.

A fama é uma realidade imaginativa, e ela pode acabar com muita velocidade.

Se uma empresa quebrar, ela nunca vai quebrar de verdade, porque ela só está na imaginação das pessoas que a conhecem.

Estou chamando sua atenção desde o início para você entender uma coisa: não se submeta a tudo o que as pessoas falam. Questione! Comece a questionar, porque o que você tem que dar valor mesmo são para os fatos, ou seja, para as coisas reais. Agora, coisas que a sua mente traz para realidade, podem atrapalhar o seu percurso.

No final deste capítulo vai ter uma tarefa, e com muita atenção você vai listar o que você acredita ser fato, mas na verdade são coisas que você construiu na sua imaginação.

Uma realidade imaginativa que diz que você é ruim com dinheiro, vai te atrapalhar a vida inteira. Por isso, você precisa entender o que está acontecendo e acabar com esses pensamentos errados a seu respeito. Se você realmente não for tão bom quanto gostaria em finanças, vai fazer cursos e investir tempo nisso; ninguém nasceu sabendo.

Você não enxerga o mundo como ele é, por isso, eu estou desconstruindo ele para você; só assim você vai conseguir ver o que está errado dentro de você, é simples.

Agora pasme: quando você adquire conhecimento, lê um livro, aprende algo, não tem nada de novo em você, foi apenas uma camada que você tirou e que te fez enxergar de outra forma; melhor, fez você "se" enxergar de outra forma. Tudo sempre esteve dentro de você. Não é apenas uma leitura, é um processo de desconstrução.

Você tem que entender que a realidade imaginativa é algo da sua cabeça; você precisa diferenciar se aquilo é de fato real ou se é algo que a sua cabeça criou. Se foi algo que sua mente produziu, você vai começar a questionar e, se for preciso, ressignificar isso.

Tudo aquilo que é fruto da imaginação foi repetido até virar um sofismo na mente, uma mentira ou uma verdade. Uma mentira repetida mil vezes vira uma verdade. Você acredita nisso?

Tem gente que usa essa técnica na política, para entrar na mente das pessoas; sabe né, aqueles charlatões.

Isso aqui não é nem o começo do que está por vir. Mas, agora não vou falar de técnicas, vou apenas desconstruir algumas mentiras sobre você. No próximo capítulo vamos falar de reset cerebral. Por isso, faça as tarefas. TMJDF!

TAREFA - Realidade Imaginativa

---

1. Qual dessas alternativas não são realidades imaginativas?

a. ( ) Commodities (bens naturais)

b. ( ) Câmbio

c. ( ) Pontuação da bolsa

d. ( ) Sol

2. O que é a verdade para você? Lembrando que não estamos falando de verdade absoluta e sim de crenças, ou seja, aquilo que você acredita.

a. ( ) Aquilo que eu quero acreditar.

b. ( ) Aquilo que sou obrigado acreditar.

c. ( ) Aquilo que aprendi com meus pais.

d. ( ) O que a mídia veicula diariamente.

3. O dinheiro tem um poder imaginativo poderoso. O que isso representa para você?

____

____

____

____

____

4. Para acabar com a sua imaginação basta viver preocupado. Você sabe usar sua imaginação a seu favor? Escreva 3 coisas que você mentalizou hoje.

1ª ____

2ª ____

3ª ____

5. Use a mentalização para relembrar quem você realmente é, repetindo essas palavras: "Eu sou imagem e semelhança do Criador, meu dia será maravilhoso e eu vou fazer muito mais do que eu imagino."

Após isso, respire fundo algumas vezes e tome um banho natural para despertar todo o seu ser. Escreva outras frases e faça isto durante 7 dias para você perceber a eficácia disto.

____

____

____

____

____

6. Como está a sua realidade imaginativa? Complete a frase:

"O macaco faz macaquice, a baleia nada e você ____________"

Se você respondeu que você trabalha ou qualquer outra resposta pejorativa, você está alienado em uma realidade imaginativa de terceiros. Você nasceu para dominar sobre todas as coisas, não aceite menos que isto! Eu te aconselho que vá até o espelho do banheiro ou do carro e grite por 7 vezes que você nasceu para dominar sobre todas as coisas. Esta é uma verdade sobre você! (Em caso de dúvidas, consultar Gênesis 1:26).

7. Você já percebeu que, quando alguém vai falar de um bom médico ou de um bom profissional, as pessoas costumam dizer que ele é o melhor na cidade ou no país naquele assunto? Sabe o que isso quer dizer? Isto, é a realidade imaginativa. A tarefa é, questione a última conversa que você teve com uma pessoa e analise se ela usou desse artifício para te convencer. Para que alguém seja realmente o melhor do mundo no que faz, deve existir uma métrica ou um ranking que determina isso. Caso contrário, é só fruto de uma realidade imaginativa (crença).

____

____

____

____

____

8. Com muita atenção, você vai listar 5 coisas que você acreditava ser fato, mas, que na verdade agora entendeu que são coisas que você construiu na sua imaginação.

____

____

____

____

____

CAPÍTULO 4

SABEDORIA E RIQUEZA

"Prosperidade não é ter, é fazer crescer."

PLANTE A SEMENTE, REGUE A TERRA E COLHA OS FRUTOS

Você precisa odiar a pobreza, pois tudo que você repudia você não quer mais para a sua vida. Você precisa odiar com veemência. Desta forma, nunca mais vai querer a pobreza de volta na sua vida. Aí está um bom conselho para você seguir!

Neste capítulo vamos falar sobre sabedoria e riqueza. Um dos assuntos que tenho mais fascínio na vida é a sabedoria. Se formos analisar: o conhecimento é o saber e sabedoria é saber o que fazer.

Tem um provérbio chinês que fala: "Se você sabe e não faz continua sem saber."

Por isso, eu insisto tanto que você faça as tarefas. Ouvir e não praticar é igual a ler esse livro sem fazer as tarefas; o seu cérebro absorve pouco se for só na teoria, se não executar algo. Você precisa treinar e transformar toda essa informação em uma frequência que ele consiga captar, ou seja, em experiências. Isso não pode ficar apenas na sua realidade imaginativa; lembra dela no início do livro?

O que é sabedoria? A sabedoria é multiplicadora, está na essência da semente.

Sabedoria é semente, prosperidade é crescer em todos os caminhos; por onde quer que você passe, que seja colocado, você cresce, e a riqueza é o fruto. E qual a treta disso? Eu preciso da semente, de uma boa semente. Com os princípios que eu acredito, se essa semente for plantada, ela vai EXPLODIR. E vai explodir mesmo, porque no processo biológico, a germinação precisa da explosão da semente, precisa matar a semente; e quando ela morre, ela se transforma em um arbusto, árvore ou planta. Depende do tipo de semente que você decidiu plantar.

Vou te falar de dois tipos de sabedoria: a vertical e a horizontal.

A sabedoria vertical trata do relacionamento espiritual com o Criador; esse canal precisa estar aberto. Ela está relacionada aos princípios, e você não precisa ir à igreja para encontrar isso, pois tem muita gente que vai e ainda assim não tem, como tem gente que não vai e tem. Os maiores bilionários do mundo nunca foram à igreja, só que eles têm os princípios. Eu por exemplo, vou à igreja, é um fato na minha vida, mas isso não quer dizer que seja preciso ser fato na vida de todo mundo. A questão é entender que sabedoria vertical é a intimidade com Deus, é viver sob os princípios e direção d'Ele.

Já a sabedoria horizontal é o fazer. O fazedor é aquele que sabe resolver as coisas. Mesmo se você faz tudo errado, não tem problema, é melhor ser um fazedor do que não fazer nunca nada, porque dessa forma no mínimo você aprende, nem que seja aquilo que não deve ser feito. Com a ação você está se movimentando e aumentando a sua taxa de sobrevivência na guerra. Você sabia disso?

A sabedoria tem dois canais, um na vertical e outro na horizontal, aprenda isso logo e vá fazer.

Eu sou criador do método IP e desde que comecei, fiz com força; tanto que até grandes amigos e família pediram para eu ir mais devagar. Só que estou em conexão com os dois canais, já sabia que ia fazer tanto que já sei quanto fiz para destravar a terra e isso tudo não é nem o começo do que está por vir. **Aprenda uma coisa:**

quem bate na porta, a porta abre. Se não abriu, foi porque você desistiu rápido demais.

Esse negócio de desistir rápido é terrível, pois você não vai ter sabedoria nunca. **A sabedoria é saber que precisa fazer, e não que deva fazer o certo; apenas saiba que precisa fazer.** E se você quer aprender mais, quando cair, errar fazendo algo, não faça novamente. Não caia no mesmo erro, invente outra coisa para fazer, erre sempre em coisas diferentes.

Na Bíblia fala que Davi era um homem segundo o coração de Deus, e ele errava adoidado. Só que Davi não errava nas mesmas coisas; esse é o código de Davi, não errar nas mesmas coisas.

Erre muito, mas nunca nas mesmas coisas.

Quando você faz, você planta, você ganha um know-how, um estilo de fazer, de entender, de ver o negócio, de saber como. Com esse **"saber como"** você começa a ter um olhar diferente, e aí tudo muda.

Sabedoria vem primeiro, prosperidade vem em segundo; se você realmente é sábio você prospera. Prosperidade não é ter, é fazer crescer.

Jesus era próspero porque em tudo que colocava a mão multiplicava; prosperidade é o poder multiplicador. Prosperidade é não somente ter, é saber multiplicar, é fazer crescer tudo o que você coloca a mão.

Abundância é ter além do que você precisa, é ter mais do que você suportar. Transbordo é a prova da sua plenitude. Quem está transbordando, está derramando água por cima da caixa, sempre está sobrando. **Já quem é escasso, solta por baixo, pelo ladrão, e a caixa nunca fica cheia.**

Você tem um caminho para chegar nisso, e o primeiro passo é a sabedoria; você planta a semente, a ideia. E você vai plantar em uma terra fértil que é uma pessoa, e por último vem a recompensa, a riqueza. Você tem que entender uma coisa: Deus dá a semente para quem semeia. Se você não for fazedor, Ele não vai te dar nada. Tem muita gente que fica magoada porque ainda acredita que Deus faz coisas no lugar delas. Deus deu a terra para os homens, então Ele quer que você faça do seu jeito, pois já te capacitou para isso. Se souber usar o canal de sabedoria que Ele te deu, sua vida vai ser mais fácil.

Quem é sábio, é rico; isso é obrigatório. Quem tem sabedoria tem que ter riqueza; a riqueza sempre acompanha a sabedoria. Um homem sábio conecta todas as coisas que ele acredita: pensamentos, sentimentos, experiências, tudo que ele acha que pode funcionar, ele usa para alavancar seus resultados. O que distancia um sábio da sua riqueza é o processo de associação e multiplicação.

Sabedoria é plantar a semente, regar a terra e colher os frutos.

A riqueza é o fruto.

TAREFA - Sabedoria e Riqueza

---

1. Qual a diferença entre sabedoria horizontal e sabedoria vertical?

____

____

____

____

2. Na sua opinião explique o que vale mais, o conhecimento ou a sabedoria?

____

____

____

____

3. Entre sabedoria, prosperidade e riqueza, qual é o mais importante?

____

____

____

____

4. Como você lida com os problemas? Saiba que todo envolvimento com problemas potencializa sua sabedoria.

___

___

___

___

5. Qual o problema que você deixou crescer na sua vida e vai resolver ainda essa semana?

___

___

___

___

6. Qual a pessoa mais sábia que você conhece? Explique o que mais te chama atenção nela e como você pode aplicar essas características/ações na sua vida.

___

___

___

___

7. Qual o sentimento imediato que vem na sua cabeça ao ouvir a palavra riqueza? Se for negativo, tente lembrar qual foi a pessoa que protagonizou esse evento emocional negativo e ressignifique.

___

___

___

___

CAPÍTULO 5

VOCÊ SABE DESFRUTAR A VIDA?

"Descanso em hebraico quer dizer desfrute. Deus, quando criou sua obra-prima, desfrutou no sétimo dia."

LIFE STYLE

O que é *life style*? Sempre que você tiver uma dúvida, já procura saber o que é. Hoje você tem acesso ao Google e diversas fontes que podem sanar suas dúvidas, sem precisar ficar esperando a explicação de alguém. Faça pesquisas, não abra mão disso; eu não abro.

Life Style é estilo de vida, o sétimo dia, o desfrute. As pessoas ficam doidas comigo, porque às vezes eu falo: esse é o sétimo dia e a gente vai curtir no meio do expediente, vai desfrutar. Deus na criação da terra descansou no sétimo dia. Em hebraico, descanso quer dizer desfrute.

Você não precisa esperar a vida inteira para desfrutar de algo, pode desfrutar agora, e o desfrute em primeiro lugar é mental.

Pessoas que tem dinheiro investem até 30 mil reais ou mais, para comprar uma cama! Acreditem, existem camas de 30 mil reais, e eu falo isso porque eu durmo em uma, e é uma das melhores coisas que existe nesta vida.

Eu nunca pensei que ia ter um carro de 30 mil reais, mas hoje, posso falar que tenho uma cama de 30 mil reais, e você pode falar: que absurdo ter uma cama dessa! Eu também já fui igual a você, deixa eu te explicar: quando comprei meu primeiro carro, um gol verde que não tinha ar-condicionado e nem direção hidráulica, eu falava assim: "Esse 'trem' de ar-condicionado e direção é coisa de gente fresca!" E até tinha orgulho em falar essa bobeira. Mas, no dia que comprei meu segundo carro com ar-condicionado e direção, descobri que essas coisas eram coisas de gente fresca mesmo, porque fica fresquinho dentro do carro.

O que você aprendeu com isso?

Que a pessoa pobre e improdutiva; vai sempre falar mal daquilo que ela nunca experimentou. Seu cérebro nunca viu, por isso ele não concorda.

Sabia que têm pessoas que com dinheiro para comprar uma cama de 30 mil, não dão conta de dormir? Agora, imagina eu que durmo em paz, tranquilamente. Meu sono chega em qualquer lugar, até em pé eu durmo, para você ter noção. Aprendi isso com a Bíblia: "Deito-me, logo pego no sono". Eu que tenho sono, paz, consciência, desfruto a vida dormindo e acordado, e ainda tenho uma cama de 30 mil? Isso é um desfrutar total; você tem que ter um estilo de vida "massa", precisa aprender a ter prazer nas coisas boas.

A tarefa deste capítulo vai ser para você criar seu estilo de vida. Quem é sua maior prioridade? É sua família, é a igreja? Não interessa, o que você precisa saber é que a vida tem fases, fases que você vai ganhar muito dinheiro, fases que você vai precisar investir mais, fases de conexão, fases de aprendizados... ou seja, tudo tem fases.

Por exemplo, estou em Alphaville-SP, era de Goiânia, não precisava sair de lá, os negócios estavam indo superbem, mas peguei minha família, mudei meu rumo e vim para Alphaville fazer networking. Qual o estilo de vida que eu quero? Quero gastar "minhas fichas" até as 18 horas do dia 17 de abril de 2027 para simplesmente PARAR, definitivo. Não quero trabalhar nem por hobby. Eu quero fazer hobbies de verdade, que são andar de skate, surfar, praticar esportes, jogar tênis; tudo isso vai ser rotina para mim.

Eu já estou aposentado, só com o padrão de vida que vivo agora, mas, como eu quero ter algumas coisas a mais, como jatos e outras coisas que eu já visualizei, preciso aumentar minhas rendas passivas para elas me sustentarem, e eu nunca precisar pagar nem o combustível do jato que eu vou voar. É algo bem pesado para você ter, e você pode não querer ter, mas eu quero; tudo que a minha mente decidiu ter, já é meu.

Se fosse só para viver no padrão de vida alto que tenho, já poderia parar. Nem cento e cinquenta, duzentos anos dão conta de gastar todo o dinheiro que já produzi, porque já tenho muitas rendas passivas rodando, só que eu não quero parar desse jeito.

Quando eu era criança, meu pai falava: se você tiver dez casas de aluguel, você já vai se aposentar.

Papai, não existe essa conversa!

Isso era meu pai, em 1994 me ensinando com a cabeça dele e o estilo de vida dele. Esse mesmo pai já brigou comigo diversas vezes porque não aceitava os tipos de investimentos que eu queria fazer, e isso não fazia sentido para mim. E você precisa entender que, cada um tem o seu estilo de vida. E qual seria o estilo ideal? O desfrute. Eu pago mais caro para minha empresa ficar no melhor lugar do país; estou em um lugar que é considerado vale do silício em tecnologia e a minha casa fica localizada em um dos melhores condomínios do país. Sou vizinho de muitas pessoas famosas, gente grande mesmo, e por que eu estou contando isso? Porque eu escolhi esse estilo de vida. E dói, porque a pobreza demora para sair, e mesmo com dinheiro, a pobreza pode permanecer.

O que está travando a riqueza? A pobreza não é falta de dinheiro, e ter dinheiro não faz ela ir embora. O que faz ela ir

embora é ter uma mentalidade diferente e ter ações diferentes; coloca isso na sua cabeça.

Você vai fazer uma lista do estilo de vida que você quer viver. Gaste maior tempo com a sua família, e se você não tiver família, coloca isso como alvo. Não interessa o jeito que você quer viver, crie seu estilo.

Como você quer curtir a vida? Eu acordo todo dia, faço massagem no rosto e começo a rir do nada; este é meu estilo de vida, vivo só o agora. O que eu fiz de certo ou errado no passado ou até mesmo ontem, não me interessa. O que eu vou fazer amanhã também não me interessa, porque o que importa é o agora.

Qual é o estilo de vida que você vai viver? O agora!

Pablo, mas eu vou gastar muito dinheiro com isso? Não, lembra das fases, o remédio, o alimento e a diversão. Primeiro a cura, depois mata a fome e depois vai curtir a vida adoidado. Nós vamos falar muito disso ainda.

Nas tarefas você vai responder em que fase você está, e coloca data para sair dessa fase. Eu vou te passar os drivers mentais, "*é noix*"!

TAREFA – *Life Style*

---

1. Visualize uma cena onde sua família está em desfrute, durante 5 minutos (descanso = desfrute em hebraico).

___

___

___

___

___

2. Identifique e ressignifique 3 acontecimentos ou coisas as quais você repudiou por não possuir, assim como eu fiz quando tinha meu "golzinho" verde 1.0 sem ar-condicionado.

____

____

____

____

____

3. Você trabalha pelo dinheiro ou pelo seu alvo? Pare e pense se você está tendo um estilo de vida no agora, se não, crie 3 situações para começar a curtir nesta atual situação.

____

____

____

____

____

4. Qual o estilo de vida que você está vivendo hoje? (Remédio, alimento ou diversão?) Crie 3 tarefas para mudar seu estilo de vida.

____

____

____

____

5. Ilustre com figuras o quadro dos sonhos e descubra como será o seu estilo de vida daqui 2, 5 e 10 anos. Fixe na parede mais vista do seu quarto e visualize pelo menos 1 minuto por dia. Em caso de dúvida consulte na internet sobre "dream list".

____

____

____

____

____

6. Descreva o estilo de vida da questão anterior e coloque data para realizar isso. Escolha uma imagem que represente seus sonhos para colocar na tela de descanso do seu celular.

____

____

____

____

____

7. Quem é sua maior prioridade?

a) ( ) Sua família

b) ( ) Igreja

c) ( ) Trabalho

CAPÍTULO 6

PRINCÍPIOS MILIONÁRIOS

"Invista toda a sua energia, tudo o que você tem, naquilo que te dá retorno."

VOCÊ JÁ ASSUMIU A SUA IDENTIDADE?

Este é o capítulo em que você vai aprender coisas sobre você: os princípios dos multimilionários. Quando bate um milhão você é milionário, quando batem dois milhões ainda continua sendo milionário, mas quando batem três milhões você já entra na casa dos multimilionários.

Como funciona tudo isso? Existem princípios que você tem que seguir. Se eu te dou um cheque de cinco milhões, e você só pode sacar daqui a seis meses, você já é milionário ou será apenas na hora do saque? Se você diz que é só no saque, não entendeu o princípio: você já é, significa ser no agora. Eu não falei estar, porque estar, é um estado, um momento; são condições e elas não mudam quem você é.

Quando eu falo ser, significa identidade, sobre quem você é.

Neste capítulo vou te ensinar os sete hábitos dos multimilionários. Tem vários, mas eu vou te ensinar apenas sete, que eu considero como os principais. Espero que você experimente cada um deles, eleja os seus favoritos e vá pesquisar os outros.

O primeiro é: Dissolva relacionamentos com pessoas que te atrasam. Não tenha dó de ninguém. Tem um vídeo meu no Youtube que chama **"Não carregue as pessoas"**. Ou você tem compaixão ou não tem nada, você não nasceu para salvar o mundo, Jesus já fez isso. Dó só vai fazer você carregar as pessoas, compaixão vai fazer você ajudar; se não for para você agir, então não tem que sentir nada. Como já disse, você não precisa salvar o mundo, Ele já salvou.

O segundo é: Seja investidor. **Invista em tudo. Você tem o principal, que é sua vida. Invista um milhão cinquenta e uma mil e duzentas horas, ou seja, toda a sua energia naquilo que dá retorno.** Toda vez que você estiver envolvido, invista ROI, que é o retorno sobre o investimento, em português. Eu não entro em nada que não tenha ROI e, não é porque eu só faço as coisas por dinheiro. A maioria das coisas que eu entro, não é por dinheiro. Eu faço sempre por valor, respeito, autoridade e outras coisas que o dinheiro não pode comprar. Tem gente que tem dinheiro e não consegue comprar o respeito de ninguém.

O terceiro é: Capitalize o tempo. Os multimilionários capitalizam o tempo. Por exemplo, tem cara que raspa a cabeça porque é uma economia de quatrocentos e oitenta minutos por mês. Me perguntam por que eu não raspo. Vou jogar a real para vocês, vou fazer implante primeiro, porque meu cabelo está com escassez. Quando ele estiver crescendo e frutificando, vou raspar a cabeça. Outra forma de capitalizar o tempo é tomando banho na água gelada. Eu levo de 3 a 5 minutos e você leva trinta minutos na água quente.

Multimilionários não ficam perdendo tempo vendo televisão, séries e essas coisas. Normalmente frequentam alguns jogos pelo networking, não pelo fanatismo. Põe isso na sua cabeça!

O quarto é: Pare de ser consumidor e seja fornecedor. A internet por exemplo, é uma droga que você fornece ou consome. Se você é aquele que apenas consome, gasta de 4 a 5 horas por dia sanando seu vício. Mas se é o fornecedor, você gasta todo seu tempo distribuindo conteúdo e gerando valor para as pessoas.

Tem um código na boca de fumo de qualquer lugar do mundo: traficante não usa droga. Sabe por quê? Porque senão ele fica viciado e não dará conta de operar mais. Agora, para não dar problema para mim, vamos mudar o nome de traficante para fornecedor. Ou você fornece ou você consome.

Quem é você? Aquele que produz e entrega conteúdo para quem consome ou aquele que consome o conteúdo de quem produz?

O quinto é: Compre habilidades. Você está neste livro para comprar habilidades. Faça uma lista, nas tarefas, de quantas habilidades você ainda não tem e quer ter. Precisa aprender inglês? Faça. Aprender hebraico? Faça. Eu mesmo vou entrar na aula de hebraico agora. Que habilidade te falta? Oratória? Desenvolva. Negociação? É o próximo capítulo. Vou te ensinar e te treinar. O segredo é comprar habilidades. Todo multimilionário faz isso. Não fica gastando tempo com televisão, assistindo jogos, ou pior, jogando videogame. Eu não tenho nada contra o futebol, ou outros tipos de jogos, só não mexo com coisa improdutiva.

O sexto é: Conecte-se com novas pessoas. Você precisa se conectar com novas pessoas toda semana, pelo menos uma. Na tarefa eu vou colocar essa meta para você. Vai aprender sobre networking, mas não esqueça de se conectar com, no mínimo, uma pessoa nova por semana. Eu mesmo estive com Caio Carneiro outro dia, um cara que respeito, e já ouvi mais de trezentos áudios dele. Tive um momento de duas horas de qualidade no seu escritório, onde aprendi um monte de coisa; só que nessa mesma semana, já havia conectado com outras dez novas pessoas.

O sétimo é: Não faça conta de nada. Não faça orçamentos, quando você está em crescente de renda. Eu sei que agora você está em austeridade. Sei também, que a maioria das pessoas está no vermelho e tem que fazer conta para sair dessa situação, mas depois que saiu, ganhou uma vida nova. Nessa nova vida, não faça orçamentos, não anote seus gastos; crie sempre receitas, porque dessa forma as suas despesas nunca vão superar as receitas.

O tempo que você gasta fazendo as contas é muito, deveria estar usando essa mesma energia para criar "novas" receitas.

TAREFA - Princípios Milionários

---

1. Escolha 3 pessoas que te atrasam e dissolva pelo menos 1 relacionamento com quem mais te atrasa.

____
____
____
____
____
____
____

2. Veja o meu vídeo no Youtube que chama "Não carregue as pessoas" e escreva abaixo o que entendeu.

____
____
____
____
____
____
____

3. Seja investidor. Qual o ROI sobre as 1 milhão e cinquenta e um mil e duzentas horas do seu tempo? (ROI = Return On Investment = Retorno Sobre Investimento). Se Deus fizesse um balanço de tudo o que você rendeu na terra, seu saldo seria positivo ou negativo? Explique.

____

____

____

____

____

4. Capitalize o tempo! Escolha uma das 3 medidas para capitalizar seu tempo. Escreva abaixo como foi essa experiência.

a. ( ) Manter a cabeça raspada

b. ( ) Um banho gelado

c. ( ) Usar roupas pretas

d. ( ) Ou terceirizar alguma atividade?

5. Pare de ser consumidor e seja fornecedor. Levante 3 pontos em que você pode se tornar um fornecedor. Lembrando que a internet é uma ótima ferramenta para isto.

____

____

____

____

____

6. Compre habilidades. Liste habilidades que você não tem e quer ter.

____

____

____

____

____

7. Conecte-se com pelo menos uma nova pessoa por semana. Qual é o nome da pessoa que conheceu esta semana? Em que ramo ela atua? Como você pode gerar valor para ela?

8. Pense e execute uma nova ideia para criar receita, a fim de que, as despesas que você tem nunca superem essas receitas. Anote aqui como foi essa experiência.

CAPÍTULO 7

A SUPERDATA

“Qualquer bobo na vida se aposenta com dez anos de trabalho.”

JÁ OUVIU FALAR EM RENDA PASSIVA?

Sempre o fim é melhor que o começo. Esse é um dos melhores capítulos: o plano. Você está fazendo as tarefas? Já está tendo resultados? Se você não está fazendo as tarefas, volta lá e faz.

Agora se você quer saber porque é tão ruim fazer as tarefas, vou te contar: é porque você resiste a tudo o que é natural.

Tarefas nada mais são, que trazer à existência o que está na sua mente. Já viu que na sua cabeça está tudo certo? Daí é só abrir a boca e fica tudo bagunçado. Não consegue colocar em ordem o que está na mente; tudo isso é porque não faz tarefa.

O que é a superdata? É a data em que seus olhos vão abrir e você terá a tão sonhada aposentadoria. É o dia em que você para de gastar energia para produzir algo, que você para de se preocupar em pagar as contas, porque elas já estão pagas. Tudo fruto de uma tecnologia chamada renda passiva. Você já definiu a sua superdata?

A minha é 17 de abril de 2027 às 18 horas, que é o horário que o expediente acaba de todo trabalhador.

Para chegar nessa data você precisa primeiro defini-la. Visualizar, mentalizar, escrever e trazê-la para a realidade. Depois disso, você precisa trilhar os caminhos que você irá percorrer para chegar lá. Posso te contar uma coisa? Se você passar para o papel, fizer todos os passos, com certeza a sua superdata chegará até antes do que você planejou, só depende de você.

Só que não é apenas colocar a data, você terá que fazer a sua parte, como ler livros, criar rendas, fazer cursos, conectar-se para ter networking, fazer tarefas e sempre fazer *mastermind*. Fica em paz, que ao decorrer desse livro vou explicar tudo para você.

Só não esqueça é claro, que no meio de tudo isso você terá o seu descanso, as suas férias. Se você é daquele que acha que tem que aproveitar a vida só depois, você está errado. O desfrute faz parte da caminhada, ele não é o fim, por isso tire férias; desfrutar é obrigatório.

Você precisa estudar para chegar a superdata. Este livro é um ótimo estudo, pois a compra de habilidades e desenvolvimento pessoal muda a sua mentalidade e te faz conectar à novas pessoas. E você precisa de novas pessoas para aprender, se inspirar e ensinar. Não ache que é só lidar com aqueles que sabem mais que você, você também precisa doar para aqueles que ainda não estão onde você está.

Eu criei uma tabela base do que e do quanto você precisa fazer de cada coisa para chegar à superdata:

"A SUPERDATA" PASSOS ANUAIS PARA ATINGIR A APOSENTADORIA EM DEZ ANOS	
MENTORIA	1X AO ANO
DESCANSO	1X POR SEMANA
FÉRIAS	1X AO ANO
CURSO	6X AO ANO
LIVRO	1X POR SEMANA

NETWORKING	CONECTAR-SE COM UMA PESSOA NOVA POR SEMANA
META FINANCEIRA	1 META NOVA POR MÊS
GERAR NOVA RECEITA	2 NOVAS AO ANO
ATIVIDADE FÍSICA	3X POR SEMANA
SUPERDATA	10%

Se você seguir todos esses passos, consegue atingir a sua aposentadoria em dez anos. A cada ano você irá completar 10%; se você conseguir fazer mais que isso anualmente, chegará nela mais rápido. Cada um tem seu tempo para atingir a superdata. Dez anos é a média, por isso a tabela é baseada nela. Tem pessoas que aposentaram antes; o recorde que eu sei, são de cem semanas, que são dois anos. Já o comum são quinhentas e vinte e duas semanas, que são dez anos, como mencionei acima.

Qualquer bobo na vida se aposenta com dez anos de trabalho, dez anos de networking, exponencialidade, tarefas e muitas ideias.

Você vai abrindo a sua mente, criando novas trilhas neurais; ela explode, aí não tem como voltar ao tamanho original.

Se você quer se aposentar com a vida que você tem hoje, consegue rápido. O negócio é que se você quer avançar, vai descobrir coisas melhores, que você nunca experimentou.

Eu sempre pergunto: "Você quer uma Lamborghini, que consome um litro de combustível para cada 500 metros rodados?" O pessoal fala: "Deus me livre!" Pois é, mas é um carro de 5 milhões. Você pode até falar que você não quer ter, só porque você nunca entrou em uma, porque quando entrar você vai pensar: "Não é possível que o homem desenvolveu uma maravilha dessas!"

Você precisa começar a levar a sério. Viva só no hoje, mas defina a sua semana, o seu mês, o seu ano; não abra mão disso.

Se envolva com novos conteúdos semanalmente, crie uma rotina para você prosperar e fazer gestão da sua vida. **Faça um *hand over* com a sua renda passiva e passe para ela o poder de**

cuidar de todas as suas contas. A expressão *hand over* está em inglês e significa... não vou te falar. Vai lá procurar no Google e depois volta e continua essa leitura, assim você já aprende a não depender sempre dos outros. Pois você não vai mais precisar gerar recursos, eles já foram gerados e estão sendo reinvestidos e cuidando das despesas.

Como funciona isso?

Você precisa converter parte dos seus ganhos e aplicá-los. Depois que as suas aplicações renderem, você começa a construir de novo; uma renda em cima do que está rendendo, e aquilo é reaplicado de novo. Essa reaplicação vai fazer você parar e fazer o dinheiro trabalhar para você. Ainda parece um sonho, não é mesmo? Acorde agora mesmo, pois se você está sonhando é porque ainda está dormindo! Sonhar é só para os dorminhocos, os vivos acordados agem, então vá fazer as tarefas.

TAREFA - A Superdata

---

1. Qual a sua SUPERDATA?

_____/_____/_____

2. O que você vai fazer para chegar até ela? Esses passos estão aqui no capítulo. Se não lembra volte lá, leia novamente e os anote aqui.

____

____

____

____

____

____

____

3. Dos passos citados neste livro, quais deles você já faz?

____
____
____
____

4. Aprendeu o que é *hand over*? Estude a respeito e escreva aqui o que você entendeu.

____
____
____
____

5. Quando foi a última vez que você tirou férias? Se faz mais que um ano, sua tarefa será marcar a data das próximas férias. Não demore muito, o desfrute é obrigatório.

____
____
____
____
____

6. Você já fez mentoria alguma vez? Anote a data da sua próxima mentoria. Caso você não saiba o que é, estude a respeito.

_____/_____/_____

7. Qual o seu maior sonho? Sabia que você não precisa esperar a superdata chegar para realizá-lo? Registre! Tudo o que é registrado tem valor.

____
____
____
____
____

8. De acordo com a tabela disponível no capítulo, como você irá se programar para completar os 10% sugeridos por ela anualmente? Quanto mais você fizer, mais rápido você chega na "Superdata".

ABAIXO TEM A MESMA TABELA DO CAPÍTULO, PORÉM COM UMA COLUNA A MAIS PARA VOCÊ ANOTAR OS CAMINHOS QUE VOCÊ IRÁ PERCORRER PARA ATINGIR A META ANUAL

"A SUPERDATA" PASSOS ANUAIS PARA ATINGIR A APOSENTADORIA EM DEZ ANOS		**COMO ATINGIR AS METAS**
MENTORIA	1X AO ANO	
DESCANSO	1X POR SEMANA	
FÉRIAS	1X AO ANO	
CURSO	6X AO ANO	
LIVRO	1X POR SEMANA	
NETWORKING	CONECTAR COM UMA PESSOA NOVA POR SEMANA	
META FINANCEIRA	2 METAS NOVAS POR MÊS	
GERAR NOVA RECEITA	2 NOVAS AO ANO	
ATIVIDADE FÍSICA	3X POR SEMANA	
SUPERDATA	10%	

CAPÍTULO 8

A ARTE DA EXTRAÇÃO DE DIAMANTES

“Não existe pergunta idiota; idiotas não fazem perguntas.”

COMO CAPTURAR INTENÇÕES E DRIVERS

Você sabia que eu já fui garimpeiro mirim? Tinha 9 anos, era garimpo de esmeralda, mas achamos diamante lá também. Tinha ouro, rubi, muita coisa, mas o principal era esmeralda.

Existem técnicas para extração, e vou te ensinar a extrair diamante do ser humano. E é muito simples: através de perguntas!

Eu costumo falar muito a respeito disso e, se você quiser saber mais, tem **vídeo no Youtube falando a respeito: "A arte de fazer perguntas"**, que no caso é como extrair um diamante.

Quem não sabe fazer perguntas, não consegue chegar a um bom resultado no processo de negociação.

Tenho uma pergunta para você, vamos ver se você sabe.

Onde foi extraída a maior quantidade de ouro do planeta Terra?

A maior quantidade de ouro foi extraída da mente de alguém que pensa. Alguém que pensa é alguém que faz perguntas, e todos que fazem perguntas não vivem alienados a absolutamente nada.

Na negociação você precisa extrair os diamantes, então as perguntas conseguem desmontar todas as rochas, quebrá-las; daí você lava essas rochas, peneira elas até encontrar os diamantes.

Os diamantes, você só vê quando quebra as rochas. As pessoas em uma negociação são como rochas, você precisa estremecer para ela trincar. E se for preciso, pode usar até uma dinamite para quebrar aquelas pedras mais pesadas.

O problema é que as pessoas querem usar aquelas perguntas de LACRE, para dizerem: "Lacrei!" Só que você não precisa disso. Só da pergunta top. E o que seria isso então? Se você for traduzir a palavra top para o português, significa topo, então a pergunta top é aquela que está no topo, ou seja, a primeira pergunta que vem à sua cabeça. Simples, não é?

Os melhores negociadores do mundo começam muito bem; sempre iniciam falando assuntos corriqueiros, fazem perguntas que não estressam e no meio dos assuntos, vão lá e metem o argumento. Aprenda e tenha cuidado, para você não ir direto nas perguntas que envolvam negócio. Todas as vezes que me sentei com bons negociadores, sempre iniciamos conversas falando coisas corriqueiras da atualidade, assuntos irrelevantes ou não, mas que não tinham a ver com o mundo dos negócios. Aprenda isso.

Por isso, não precisa ter a melhor pergunta; a melhor é a do topo, a primeira que vem à sua cabeça, aquela que não tem nada a ver. Solte a primeira pergunta que vier. Sacou?

Como você extrai diamantes? A partir da primeira pergunta.

Dependendo da resposta você faz as outras perguntas.

Por exemplo, se te pergunto: "O que você quer com este livro aqui?" Daí você responde: "Eu quero prosperar."

Eu pego apenas a sua resposta e rebato: "O que é prosperar para você?" E você responde: "É fazer crescer tudo que eu coloco a mão." E eu respondo: "Tudo? Mas qual é a área que está ruim na sua vida?"

Entendeu como funciona? Olha como eu estou extraindo diamantes. Peguei uma rocha gigante, a explodi e agora estou sedimentando, peneirando e lavando até encontrar os diamantes.

Com cinco perguntas reversas eu consigo achar o diamante. E não tem como eu te dar as cinco perguntas exatas. A primeira pergunta é a TOP, a que vem à sua cabeça. Todas as perguntas transferem pressão; essa pressão funciona como as dinamites que fazem você explodir por dentro até soltar os diamantes.

Por exemplo, se eu estiver na sua frente agora e te perguntar: Quanto você ganha por mês? No 3...2...1... já! Pronto, você verbalizou?

Não interessa o quanto você ganha, não tem que responder. Você precisa fazer outra pergunta.

Se você fizer a mesma pergunta para mim, vou te responder com outra pergunta: "Por que você quer saber? O que isso vai acrescentar na sua vida?" Tem um macete aqui para não ser grosso ou parecer arrogante: coloca um sorriso no rosto na hora de devolver a pergunta. Dessa forma nunca fica feio.

Existe uma arte em extrair diamantes. Os dados que estão dentro das pessoas são valiosíssimos e, às vezes, elas nem sabem que têm isso dentro delas. E como você descobre?

ATRAVÉS DAS PERGUNTAS. É ASSIM QUE SE EXTRAI DIAMANTES DE DENTRO DAS PESSOAS.

O segredo das perguntas é liberar a primeira, a top, que pode ser qualquer pergunta; não tenha medo, mesmo que pareça idiota.

Deixa te contar uma coisa: não existe pergunta idiota. Eles fazem perguntas. Então fique em paz e pergunte.

A pergunta revela a maturidade de quem a faz. Quando a pessoa abre a boca para perguntar, mostra o quanto ela é madura. Por isso não existe pergunta idiota, apenas pessoas em níveis de maturidade diferentes. Agora será a sua vez de começar a extrair os diamantes.

Pergunta para seu cônjuge: "Por que você se casou comigo?" Ele ou ela vai falar: "Porque eu te amo." Daí você rebate: "Além de amar, por que você fez isso?" E por aí vai. Só faça perguntas, ok? E aí, alguma pergunta?

TAREFA - Arte da Extração de Diamantes

---

1. Se desafie. Faça a pergunta top para no mínimo 3 pessoas.

____

____

____

____

____

2. Escreva abaixo 5 perguntas top que você vai fazer para você mesmo, a fim de extrair seus diamantes.

____

____

____

____

____

3. Quais são as 5 perguntas que você vai fazer para Deus hoje?

____

____

____

____

____

4. Extraia e anote abaixo 3 preciosidades das 5 pessoas mais próximas de você.

5. Escreva 3 perguntas que você gostaria de fazer para uma pessoa famosa hoje. Quando essa oportunidade chegar você já estará preparado.

6. Transborde na vida de 3 pessoas o que aprendeu neste capítulo.

CAPÍTULO 9

GANHE DINHEIRO NA COMPRA

“Negociar é uma arte e você é o artista.”

VOCÊ QUER VER OS RESULTADOS NO SEU BOLSO?

Como estamos ainda falando de negociação, você precisa aprender que dinheiro se ganha na compra e não na venda. A venda é apenas um retorno para o fluxo de caixa. Tem gente que fica feliz quando vende. Eu pergunto: "O que adianta ficar feliz na venda, se não ganhou dinheiro na compra?"

Tem muita coisa na vida que se você não souber comprar, já era. Por exemplo, você vai comprar um carro, e eles falam que na tabela Fipe vale tanto; e você percebe que tem que trocar os pneus, tem que mexer nisso e naquilo, começa a "depenar" o carro, a depreciar para comprar ele mais barato, porque depois quando for vender, você estará lascado.

Meu primeiro carro fazia a minha alegria quando eu tinha dezoito anos. Comprei ele e vendi mais caro, porque eu ganhei na compra.

Mas como eu fiz isso se o carro era usado? Eu ganhei na compra. Fala assim para o Titi: "Eu ganho dinheiro na compra!"

Eu vendi uma Land Rover para um amigo. Essa eu comprei por um preço e vendi pelo mesmo preço depois de um ano de uso. Tudo isso porque eu comprei por um preço bem abaixo do mercado.

Onde é que você ganha dinheiro? Na compra! Se você é empresário, você precisa entrar ativamente nas compras.

Essa semana estava conversando com o CEO da plataforma. Estávamos vendo soluções para a internet, porque nós pagávamos mil reais de internet ao mês, um absurdo; isso não fazia sentido para mim. Questionei aquilo e sabe o que resolvemos? Eu até me emociono quando conto isso: instalaram uma internet de R$159 por mês. O meu CEO colocou uma internet mais veloz, de 159 reais, ou seja, mais veloz e mais barata.

Se você fizer as contas, reduzi praticamente 85% do meu custo. Em um ano, quanto isso não dá? Eu economizei por volta de dez mil reais, só na internet. Você entende agora por que eu me emociono? Agora pensa isso em dez anos, isso aplicado corretamente. É muito dinheiro que estava perdido. Parado, mal aplicado, mal negociado. Tem base um negócio desses?

Não faz sentido você não saber como ganhar dinheiro.

Eu fui colocar móveis na plataforma de Alphaville, e as pessoas estavam me pedindo por volta de 70 mil. Só sei que no fritar dos ovos, eu não paguei mais de 20 mil. Entendeu como funciona? Você tem que ganhar dinheiro na compra. Grandes lojas de eletrodomésticos compram a linha de produção inteira das grandes marcas, e o que acontece? Ganham dinheiro na compra, por isso, conseguem vender aqueles "trem" tão baratos. Chegam nas marcas e pedem dez mil geladeiras, lógico que eles vão dar um bom desconto! Esse é o segredo. No meu curso, o método IP, tem famílias que trazem onze, vinte pessoas. Teve uma família que bateu o recorde: foram quarenta e quatro pessoas, de uma família só. Foi o caso de uma empresária que mudou de vida, trouxe o marido e falou assim: "vai ter que ir todo mundo nisso." E sabe o que eles fizeram? Eles mandaram no preço, porque ganharam na compra; são empresários gigantes, eles entendem de negociação.

As pessoas quando sabem ganhar dinheiro e entendem das coisas, elas colocam pressão, dinamites e explodem na compra.

O que é a compra? É onde eu ganho dinheiro de verdade. **O seu dinheiro vale mais na sua mão do que na mão dos outros.** Ou seja, o meu dinheiro vale mais na minha mão. Quando você o entrega na compra, você já perdeu a oportunidade.

Você tem que comprar muito, mas tem que comprar barato. Negociar é uma arte e você é o artista.

Certa vez eu pedi para fazer um andar no estoque em uma indústria nossa, e o cara orçou em 4 mil reais só de ferro. Eu fiz os cálculos e era para colocar por volta de duas toneladas de jeans. Fiquei indignado com o valor de 4 mil de ferro. Eu peguei e fiz o projeto de madeira, para duas toneladas; o negócio está lá até hoje, ficou menos de mil reais. Não lembro ao certo, só sei que ficou muito em conta.

Foi um dia de trabalho. Envolvi a equipe toda, e você tem que ver meu sogro, o chefão lá, o jeito que ele ficou. A minha esposa é sócia dessa companhia e o pessoal ficou em estado de choque. Perguntando: "Como você sabe ganhar dinheiro desse jeito?"

Eu desligava o elevador a noite. Coloquei meta de temperatura para ar-condicionado. O povo ficava de jaqueta, porque falava que era muito frio o ar. Uai, é só mexer no ar-condicionado. Até a cerca elétrica eu desligava.

Meu salário era o maior da companhia e eu o paguei no primeiro mês, só com a economia que a empresa teve.

Quando eu falo dinheiro de compra é porque você compra tudo; energia elétrica, todas as coisas que paga, você está comprando. Todas as vezes que você for comprar algo para sua casa, põe uma pessoa top, que gosta disso, porque ela sempre vai saber o que dá para aproveitar e usar. O povo me coloca nas coisas e morrem de raiva comigo, porque eu dou jeito para tudo.

Então, como ganhar dinheiro na compra?

Entendendo que seu dinheiro vale mais na sua mão do que na mão dos outros. Por isso, não compre besteiras.

TAREFA - Ganhe Dinheiro na Compra

---

1. Como está o seu desempenho nas tarefas das aulas anteriores? De zero a dez, qual seria a sua nota? Liste 3 estratégias para melhorar essa nota.

____

____

____

____

____

____

2. Relembre e anote os passos que você precisa fixar para ganhar dinheiro na compra.

____

____

____

____

____

____

3. Modele duas pessoas que são exemplos de ótimos compradores. Escreva 3 códigos que você aprendeu com cada uma delas e precisa exercitar.

PESSOA 1

____

PESSOA 2

____

4. Quais são as suas dificuldades de negociação ao comprar um determinado produto? O que vai fazer para acabar com isso hoje?

____

____

____

____

____

____

5. Estude e faça no mínimo 3 perguntas ao vendedor/prestador do produto/serviço mais próximo que está prestes a adquirir. Em seguida, argumente e compare. Descreva aqui a experiência, o quanto você ganhou na compra.

____

____

____

____

____

____

CAPÍTULO 10

EXPONENCIALIDADE= RE x O

"O conhecimento,
quando praticado
inúmeras vezes,
se torna sabedoria."

CONFIE NO PROCESSO

E X O = 1HE X 20H

HORA
PRATICADA

Para você aplicar esta fórmula, precisa estudar uma hora e praticar vinte horas. Assim, terá um resultado exponencial.

O que é um resultado exponencial? Já dei palestras para executivos de alto escalão e grandes líderes, que não sabiam o que era resultado exponencial. Quer dizer, eles achavam que sabiam. Continuando na matemática, você lembra do plano cartesiano? Se não lembra, vou deixá-lo desenhado mais para frente, se sim, pensa nele, só que no lugar do X você vai colocar quantidade e do Y, vai substituir por tempo.

Não estressa, você não precisa saber matemática para entender isso. *KEEP CALM* e continue.

Quando você tem um resultado crescente, isso não quer dizer que ele seja exponencial só porque subiu. Resultado exponencial é o que vem depois que você cresce. Na verdade é aquele resultado abrupto, que você tem depois que rampou um crescimento gigante. Acontece depois de uma rampa disruptiva. Gosto de falar que é A RAMPA DA RAMPA.

E o que é isso?

Primeiro vamos entender o que é uma rampa disruptiva. É aquela que quebra os padrões, que dá saltos quânticos, o crescimento abrupto dos resultados. E agora, aqui está o segredo: exponencialidade é uma rampa que você faz em cima da rampa que você criou. É literalmente como se fosse a rampa da rampa, por isso a chamo assim, sacou?

Abaixo tem um desenho para ilustrar melhor.

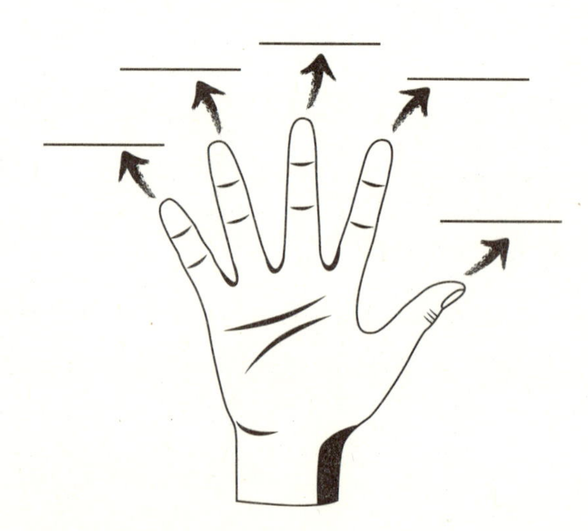

O conhecimento é muito bom, mas a sabedoria é de quem pratica, sabe? Aqueles que dominam a terra.

Os maiores bilionários do mundo nunca fizeram universidade, ou apenas começaram e largaram no meio do caminho. Se você é disruptivo, não precisa de diploma, de títulos, de nada disso, você precisa buscar só velocidade.

O que é uma rampa de resultado? É conseguir em poucas semanas o que outras pessoas levam uma vida inteira.

Um dos segredos da exponencialidade é a repetição. Se tem algo que você não consegue fazer, você precisa repetir até conseguir. Não adianta levar de qualquer jeito, senão você também vai levar dez anos. Mas, se você repetir vai criar A RAMPA.

A rampa é pensar diferente. Ser disruptivo, ser diferente.

Tem muita gente que depois da rampa da disrupção cai, porque não dá conta de se manter animado e praticar o que começou. Seja por necessidade de aprovação, ou por qualquer outro motivo; essas manias de pessoas preocupadas. Claro que você não é assim, não se importe com os outros, seja consistente que você vai chegar longe.

A exponencialidade é a rampa da rampa. Você precisa primeiro ser disruptivo para depois ser exponencial; você pega o impulso da rampa e continua "rampando". Esse impulso é o que dá uma guinada, senão você não sobe.

A maior locadora do mundo era a Blockbuster. Hoje não é mais, pois não quis migrar. Mesmo sendo a maior do mundo, não teve sensibilidade para entrar na rampa da disrupção.

Eles eram a maior locadora de vídeo do mundo e, o que aconteceu? Não existe mais.

Esse negócio de taxista, vai deixar de existir. Agora é a vez do Uber, que também pode deixar de existir, e vai chegar a vez dos carros autônomos. Você precisa acompanhar isso, o seu negócio precisa acompanhar isso, senão ele também vai deixar de existir.

Tem um método que você estudou na escola, que são trinta horas estudadas para uma hora praticada, ou seja, 30HEx1HP. Por isso que você não avança na vida, chumbaram conteúdo em você e não te ensinaram a praticar nada.

O método RExO pode ser aplicado em qualquer área. Você pode trocar a hora por minutos, o importante é saber que todo conteúdo assimilado precisa ser praticado vinte vezes mais, sacou?

Aprendeu algo ou participou de um treinamento? Pratique vinte vezes o tempo que ouviu. O segredo está nas vinte vezes. E o que é isso? Prática e prática, até fixar o conteúdo. Porque se uma mentira repetida mil vezes se torna uma verdade, o conhecimento praticado vinte vezes se torna sabedoria.

Sabe qual é o segredo do sucesso? Realizar repetidas vezes. Somando tudo que faço: cursos, palestras e tudo mais, já passaram de quarenta mil horas. É por isso que está dando certo.

TAREFA - Fórmula da Exponencialidade – RE x O

---

1. Escolha uma tarefa e aplique a fórmula nele. RExO = 1HE x 20HP (Resultado Exponencial é igual a 1 Hora Estudada vezes 20 Horas Praticadas) e anote como foi seu resultado.

____

____

____

____

____

2. Aplique a fórmula RExO nas suas tarefas deste livro e compare se seu resultado foi exponencial ou não. Consegue me explicar o por quê?

____

____

____

____

____

3. Identifique 3 negócios disruptivos e abruptos. Qual atitude você pode moldar nessa observação?

____

____

____

____

____

4. Você já fez algo exponencial em alguma área? Ensine isso para uma pessoa especial.

____

____

____

____

____

5. Analise como tem sido seus estudos e perceba se está praticando as horas necessárias de tarefas. Explique sua estratégia de ação.

____

____

____

____

____

6. Encontre 3 coisas que você pode fazer e repetir para criar um resultado exponencial. Coloque data para isso.

______________________________ data ____/____/____

______________________________ data ____/____/____

______________________________ data ____/____/____

7. Você conhece quantas pessoas que têm resultados exponenciais?

____

____

____

____

____

CAPÍTULO 11

BRAINSTORM – COMO EXPLODIR EM NOVAS FRENTES

“Seja ridículo,
infantil e divertido.”

SEJA RIDÍCULO

O que é *Brainstorm*? *Brain* é cérebro e *Storm* é tempestade, uma tempestade de ideias. Lá na minha terra em Goiás, chamamos de um "toró de parpite". Essa tempestade de ideias só acontece quando conectamos uns cérebros a outros. Por exemplo, ao invés de você ficar pagando agências caras para decidir os nomes de suas empresas, existem pessoas dentro do seu ciclo de relacionamentos que têm guardado esses nomes.

Como faz o *Brainstorm*?

Para ele acontecer precisa ter criatividade, e para ter criatividade você precisa de três coisas: ser ridículo, infantil e divertido.

Tem uma equipe aqui que me ajuda, elas formalizam as tarefas, outras filmam, outras arrumam o ambiente, ou seja, tem uma galera fazendo várias coisas. Só que quando eu quero fazer um *brainstorm* eu os aviso um dia antes, porque eles precisam ser criativos, e para isso, precisam ser ridículos, infantis e divertidos.

Então eu dou um dia para eles pensarem. Não é uma regra isso, seria o ideal, mas pode ser feito na hora também, ok?

Por exemplo, vamos criar um canal de televisão e precisamos de um nome. Para facilitar você pode criar a ambiência. O que é isso? Qual seria a ambiência da criatividade? Algo ridículo, infantil e divertido. Eu gosto de usar a música do jogo do Super Mario, na versão *remix*, ela faz a pessoa ficar infantil.

Só que você não pode recriminar a ideia dos outros. Quando você recrimina, bloqueia a pessoa e ela não quer mais produzir no *Brainstorm*, no "toró de parpite", na tempestade de ideias. Sacou?

Quando você ouve a música, fica infantil, fala besteiras, dança, faz coisas nada a ver e aciona a sua "ridicularidade". Rir de tudo isso é se divertir.

Mentalize que vocês estão em um parque de diversões.

Ao começar, já peça às pessoas as piores ideias delas; melhor, fala que não quer as boas ideias, assim as pessoas vão se sentir mais à vontade para falar as baboseiras todas. Pede também para lembrarem de quando tinham oito anos, como eles pensavam. O canal de vídeos que vou criar é para crianças. O nome precisa ser tão impactante que quando a criança passar por ele, já se prende naquilo. E aí as pessoas vão soltando as ideias, exemplo: UNO DO TITI, CANAL DA PAMONHA, TITI PARTY, TITIBROSS, TITI X GOKU e por aí vai.

Depois que as pessoas soltaram os nomes ridículos, essas mesmas pessoas vão excluí-los, porque o melhor processo do *Brainstorm* é começar excluindo. Assim você não tenta sabotar o nome que vai ser. A ideia é destravar o raciocínio. Depois que excluiu os nomes, vão sobrar alguns e, a partir deles você começa a trabalhar. Busca conexões com os nomes, sinônimos e etc. Não precisa já escolher na primeira rodada de *brainstorm*, apesar de ser possível 95% das vezes; mas você pode ir fazendo rodadas, não tem problema. O importante é destravar e ensinar as pessoas a serem ridículas, infantis e divertidas.

Não fique quebrando a sua cabeça. Reúna com outros cérebros e exploda as ideias sendo ridículo, infantil e divertido.

Você não pode criticar e nem recriminar, ficar com orgulho de expor a sua ideia ou ciúmes, porque a sua ideia não ganhou. Ninguém é dono de ideia; as pessoas só são donas dos resultados e falta resultado, porque ficam escondendo ideias. Sacou?

TAREFA - Brainstorm – Como Explodir Novas Frentes

---

1. Escolha um problema a ser resolvido, crie 3 possibilidades de soluções e mate esse problema com a melhor opção delas.

____

____

____

____

____

2. Selecione no mínimo 3 pessoas para fazer um *brainstorm* ainda esta semana.

____

____

____

____

____

3. Escolha um método para gerar ambiência RID (Ridícula, Infantil e Divertida). Exemplo: No nosso caso foi a música do Mário Bros *remix*.

____

____

____

____

____

4. Crie e relate aqui duas situações novas que te remetem à infantilidade, diversão e ao ridículo e esteja pronto para usá-las quando precisar.

---

5. Descreva como foi o processo de *Brainstorm* e todos os seus dados coletados.

---

6. Estruture a técnica de eliminação para tomada de decisão.

CAPÍTULO 12

OPM – OTHER PEOPLE'S MONEY

"Você não precisa usar todos os seus recursos, a verdade é que você não precisa de recursos."

COMO USAR O DINHEIRO DOS OUTROS?

Esse capítulo é OPM, "Other People's Money", ou seja, trabalhar com o dinheiro dos outros. Parece uma coisa espantosa, mas grandes grupos empresariais e pessoas que "sacam" de dinheiro usam OPM.

E como funciona? Funciona assim: você tem a ideia, só que trabalha com o dinheiro dos outros. É algo simples, grandes companhias crescem fazendo isso. O problema é que você aprendeu que tinha que juntar o seu próprio capital e investir o seu próprio dinheiro.

Se você tem 1 milhão para investir em um negócio, ou consegue uma carta de crédito do BNDES de 1 milhão, a dica de um consultor financeiro legítimo será para você aplicar em uma coisa bacana, em um fundo que te dá até 1,25% por mês; 1% já está top, pois o percentual em cima desse montante é monstruoso, que nesse caso é R$10.000,00 por mês. E vai fazer você pegar uma linha de crédito abaixo de 1%. Olha que louco. Você entendeu? Vou explicar melhor.

Em vez de você pegar o seu milhão e investir em um negócio que tem a possibilidade de dar certo, você vai pegar o valor que iria investir no negócio e empregar esse dinheiro em algo que rende acima de 1%. Caso você use dinheiro emprestado, use uma linha de crédito que cobre abaixo de 1%.

Vamos lá! Você pegou 1 milhão e aplicou a 1% ao mês, que está rendendo R$10.000,00 e precisa pagar na linha de crédito a 0.4% ao mês. Os juros do dinheiro que você aplicou pagam o dinheiro que você tomou emprestado. Isso é OPM, sacou?

E você que não tem dinheiro, está se perguntando o que fazer. Você não vai pegar o seu dinheiro. Tem que aprender que tendo dinheiro ou não, é bom fazer empréstimos. Nunca faça empréstimos para consumo ou para aparecer para os outros. Faça para multiplicar recursos e riquezas. Aí sim você pode fazer.

Existem três tipos de pessoas: as que têm recursos e não sabem o que fazer, as que têm ideias e não têm recursos e, por último, as que não têm ideias e nem recursos.

Tem uma galera que ganha dinheiro de forma automatizada e não sabe prosperar naquilo ali. Não tem uma ideia massa para alavancar esse dinheiro. Muitos herdeiros são assim, quase 80% deles são desse jeito: têm dinheiro e não têm ideia.

Tem a turma do "nós temos a ideia, mas não temos o dinheiro". Tem também a maior parte da turma, que é a "não tenho nem a ideia e nem o dinheiro". Quem é dessa última turma tem que trabalhar para os outros, ponto.

Se você tem uma ideia, mesmo que a princípio pareça ruim, só vai saber se colocar em prática, se "matar" ela. Como matar uma ideia? Fazendo tarefa, agindo. Se der errado, você coloca uma ideia melhor no lugar. Tem muita gente querendo a sua ideia, precisando só ver a sua boa ideia para seguir você. Lembre-se: você sempre será um exemplo bom ou ruim. Para que servem os exemplos ruins? Para você aprender aquilo que não deve fazer, só isso.

As pessoas que têm dinheiro e não tem ideia estão precisando de você. As grandes companhias do país cresceram com dinheiro público, você precisa entender isso.

E por que eles usam o dinheiro público? Simples demais, porque você não usa. Você não sabe pegar. Você tem uma ideia, não usa o seu networking para conectar às pessoas e poder pegar o recurso.

Se seu pai tem um dinheiro na poupança, tem que rodar um OPM nesse negócio. Dinheiro na poupança tem ano que não cobre nem a inflação, é ridículo.

A dica que te dou é: abra seu coração para o OPM. Eu nunca aceitei isso, até que um mestre de finanças me ensinou. E se você tem uma ideia de negócio, pode ir atrás que tem gente com dinheiro atrás de pessoas como você.

Quando eu comecei a falar de investimentos, percebi quantas pessoas não sabem nada disso, não entendem e nem sabem o que fazer com o dinheiro. Hoje mesmo, rodeados de pessoas com muito dinheiro, ainda tem uma galera que não entende nada de investimentos. Pessoas batalhadoras que construíram seu império, mas não sabem o que fazer com o dinheiro.

Nas tarefas sobre OPM você terá que identificar dez pessoas da sua convivência. Entre elas, encontre duas que têm dinheiro e não têm ideias, três que têm ideias e não têm dinheiro e o restante serão as que não têm nem ideia e nem dinheiro, as que só trabalham para os outros. Assim, você vai descobrir em qual destes perfis você se encontra. Presta atenção nessa tarefa! Lá, também vai perceber os tipos de pessoas que você convive, e vai ver se não é rodeado de trabalhador, gente que só reclama, pessoas sem recursos, pessoas sem ideias; e se for, é terrível.

Você vai fazer uma simulação, como se fosse fazer um empréstimo. Eu comecei a fazer isso com dezesseis anos. Vá na frente de três gerentes, simule e tente pegar empréstimo. Mas, só faça isso se for para colocar em prática a sua ideia. Comece a agir. TMJ!

TAREFA - OPM – Other People's Money

1. Estude vinte minutos todos os dias da semana sobre o BN-DES. Por que pessoas famosas e grandes empresas utilizam esse recurso e você ainda não?

____
____
____
____
____
____

2. Liste o nome de dez pessoas de seu relacionamento. Separe-as por grupo:

a - As que têm recursos e não sabem o que fazer.
b - As que têm ideias e não têm recursos.
c - As que não têm ideias e nem recursos.

( ) ____________________ ( ) ____________________
( ) ____________________ ( ) ____________________
( ) ____________________ ( ) ____________________
( ) ____________________ ( ) ____________________
( ) ____________________ ( ) ____________________

3. Qual destes grupos acima você se encontra?

____
____
____
____
____
____

4. Liste 3 ideias para você apresentar para pessoas que têm recursos e trabalhar com o dinheiro delas.

____
____
____
____
____
____
____

5. Liste 3 pessoas que têm ideias e que você pode investir seu recurso nisto.

____
____
____
____
____
____
____

6. Você já foi em seu gerente de banco e questionou sobre investimentos? Por exemplo: como buscar rendimentos mais atrativos que a poupança? Caso não tenha feito, faça esta semana e, caso já tenha feito, pesquise sobre os bancos digitais e corretoras de investimentos.

____
____
____
____
____
____
____

7. Com o resultado da tarefa 6, compare e analise as propostas dos bancos tradicionais x bancos digitais / corretoras e tome sua decisão de onde irá alocar seu dinheiro.

____

____

____

____

____

____

8. Se você tivesse R$1.000.000,00 em que você investiria hoje?

____

____

____

____

____

____

CAPÍTULO 13

OS 3 CAPITAIS

“O que é mais evidente muitas vezes é aquilo que tem menos valor.”

DINHEIRO É SÓ UMA CAMADA FINA

Espero que você esteja compreendendo os códigos do milhão, odiando a pobreza, e esse ódio esteja fazendo você canalizar essa energia para ação e novas ideias, e logo o resultado vai chegar. Está tudo guardado dentro de você. Vou te ensinar agora sobre os 3 capitais, e com coerência, consciência e pressão tudo vai fazer mais sentido.

O primeiro é o capital financeiro, aquele que todo mundo acredita que precisa, só que têm pessoas que têm negócios e não tem dinheiro, e elas até conseguem quebrar o negócio.

O segundo capital é o intelectual. Trata-se daquela pessoa inteligentíssima, que tem brilhantes ideias, porém, não faz nada com elas. E o terceiro capital, que para mim (e para outros gurus de finanças também) é o mais poderoso de todos: o capital emocional, porque com ele, até sem ter o dinheiro consegue prosperar em tudo o que estiver disposto a fazer.

Não se importe se você não tem todos esses "capitais", o importante é reconhecer qual deles você possui e o que pode fazer

para conquistar os outros ou ainda, pense que você pode sempre contratar especialistas nos assuntos.

Nas minhas empresas por exemplo, eu contrato pessoas com aptidões que eu não tenho, ou que tenham melhores do que eu, assim o meu time fica completo, entendeu?

Se atente para construir em você muito capital emocional, pois, se você não tem o capital emocional, você pode ser inteligente e ter dinheiro, porém em algum momento vai dar problemas; você vai ser traído por suas emoções. Eu já escrevi um livro sobre isso chamado "O Destravar da Inteligência Emocional". É praticamente um guia sobre como dominar seu cérebro e suas emoções. Foque em ter no mínimo 65% de sua capacidade em capital emocional, ele é sem dúvida o mais importante.

Têm empresas que do nada quebram; você nem acredita, vou te contar um segredo, empresas não quebram por conta de falta de capital financeiro, empresas só quebram por um motivo: falta de capital emocional.

A falta de dinheiro não faz uma empresa quebrar, mas o que causa esse desfalque no caixa é o capital emocional. Para gerar resultados em dinheiro você precisa do capital emocional; ele é o que está por trás, o que sustenta os outros.

A primeira camada é a mais fina, infelizmente é aquela que todos se apegam mais; a primeira de todas é a do capital financeiro. Depois vêm as ideias, o cara do conhecimento, e quase todos, inclusive você até ontem, acreditava que a última camada seria a do emocional. Até ontem, porque agora aprendeu quem realmente aguenta o tranco, e ele não será mais visto como a última camada e sim como a mais importante.

Quem tem capital emocional não fica bobinho quando tem muito dinheiro e muito menos apavorado quando não tem. É aqui que está o segredo.

Existe um estudo americano em que foram feitas várias pesquisas em vários continentes, e perceberam que as pessoas entregam apenas 9% do seu capital emocional nas companhias onde trabalham. Elas fazem isso geralmente, porque não veem oportunidade de plano de carreira na empresa ou não sentem que estão sendo potencializadas e aproveitadas. Por isso, elas colocam um limite de entrega para a empresa. Os funcionários não acreditam que é possível crescer nas companhias ou mesmo que podem abrir seus próprios negócios e o cérebro; para economizar energia dessas pessoas, trava e entrega somente 9% de conteúdo emocional.

Empresas boas conseguem reter talentos por até dez anos. Eles criam planos de retenções como uma maneira para que todos se sintam presos e totalmente dependentes delas.

Se você proporciona crescimento a uma pessoa, ela começa a entregar tudo; ela chega a entregar 90% do capital emocional. Não tem empresa que não cresça assim. Por isso que o Google é um ambiente completamente aberto e divertido; a pessoa tem que estar com o emocional conectado, ela tem que "babar" de vontade, de querer fazer parte da sua equipe. Tem que fazer seu funcionário CAIR PRA DENTRO!

Imagina, dez anos colhendo apenas 9% do capital mais poderoso que é o emocional? A empresa que acha que está ganhando, na verdade tomou uma ré que nem imagina. Se ela investisse nessa pessoa, para que ela ficasse apenas um ou dois anos lá e explodisse o emocional dela, ela iria entregar até 90%. Qual o benefício disso? Essa pessoa iria entregar resultados que você nem imagina; a empresa iria ficar disruptiva.

Pablo, mas eu nem sou empresário!

Você não é, ainda. Na verdade você já é, só que ainda não tem a empresa. Primeiro você é, depois você faz, e consequentemente você vai ter. Ser, fazer e ter. Você precisa internalizar e aprender isso, já te ensinei anteriormente.

Pessoas envolvidas emocionalmente entregam tudo; entregam até o espírito. Estão envolvidas com propósito, porque o espírito é o que mais fala do propósito; alma fala do governo e o corpo, de tudo que é químico, de nossas reações às emoções. Por isso ela precisa estar envolvida; a pessoa tem que se entregar no negócio.

Que parada é essa de capital emocional? Se tem dinheiro, ele segura a onda e você não fica idiota. Se está faltando dinheiro, ele não deixa você ficar medroso e assim continua focado. Afinal, você confia em Deus, em você e no seu potencial, por isso, já acorda com sangue nos olhos, querendo morder até faca, **VOCÊ VAI PARA CIMA!**

O outro capital é o intelectual. Você precisa investir nele, por isso não pare de estudar e aplicar o que você está estudando; aplique, porque se não usar, vai dar obesidade cerebral, e isso é terrível.

Eu olho para algumas pessoas e as enxergo em um patamar, por exemplo: gente que quebra demais; elas têm pouco capital emocional, porque vão para outra empresa e lá quebram novamente. Só porque essas pessoas colocam o capital financeiro em primeiro lugar. Uma empresa não precisa quebrar, é só fazer *downsizing*, que é a diminuição de tamanho, ou seja, se tem cem funcionários passa para trinta, terceiriza um monte de etapa que não está tendo fluxo e acabou.

Agora, o que de fato quebra uma empresa é a lerdeza da mente. Faltou dinheiro, não matou uma ideia nova e não conseguiu nas emoções fazer essa gestão; aí a empresa quebra mesmo.

Se você percebe que a sua empresa está caminhando para essa "quebradeira", passa "dado" o negócio para outra pessoa, alguém que vai prosperar e vai fazer funcionar normalmente.

Dos três capitais, qual o mais importante? Vamos para as tarefas.

TAREFA - Os 3 Capitais

1. Faça uma avaliação da porcentagem dos 3 capitais existentes: financeiro, intelectual e emocional que existe em você. Lembre-se: a soma total deles deve ser 100%.

Capital financeiro: ______________%
Capital intelectual: ______________%
Capital emocional: ______________%

2. Desenvolva 3 ações para potencializar cada um dos 3 capitais e registre abaixo. Dica do Titi: sempre coloque uma data para matar a ideia.

____

____

____

____

____

3. Como você reage com seu capital emocional quando existe falta de recursos financeiros?

____

____

____

____

____

4. Pesquise e liste pelo menos uma ação de lazer que o Google promove para seus colaboradores.

____

____

____

____

____

5. Crie um ambiente a fim de enriquecer o capital emocional da sua equipe. Por exemplo, aqui nós jogamos UNO várias vezes por semana. Alguns bancos digitais possuem piscinas de bolinhas no centro do seu prédio. E você, faz o que na sua empresa ou na sua casa?

____

____

____

____

____

6. Faça um *downsizing* na sua empresa ou em sua casa. Compartilhe com duas pessoas o que aprendeu com essa atitude.

____

____

____

____

____

CAPÍTULO 14

CINCO PASSOS DO DINHEIRO

“Você é o melhor negócio para se investir.”

EM QUAL PASSO VOCÊ ESTÁ?

Pega esse código: estudar é diferente de escolarizar.

Estudar sobre dinheiro é algo que ninguém te ensinou. Na verdade, nenhuma instituição educacional ensina e, na maioria das famílias, educação financeira não está na lista de prioridades. No meu curso, método IP, eu me deparo com advogados, contadores e corretores que não entendem de dinheiro. Finanças é uma das coisas que não se ensina na faculdade. Nem pode *né*, porque se ensinar isso na faculdade as pessoas prosperam.

As pessoas gostam de me perguntar: "Qual é a melhor empresa para se investir?" **Eu respondo: "Na sua!"** Ah, mas eu não tenho empresa. Então, você não está investindo no melhor negócio que existe: sua vida.

Se você não está construindo algo para você, para a sua família, para quem vem depois de você, tem algo errado; não está investindo no melhor negócio.

Por isso você precisa estudar sobre dinheiro. O que acontece com quem não estuda? Entra em qualquer negócio ruim. Sabe aquele cunhado que chega na sua casa e oferece um "bom" negócio? Então, você cai porque é um otário disponível.

Finanças não é dinheiro, é gestão. Estudo desde os meus doze anos de idade e nunca parei ou fiquei sem ler sobre o assunto. Uma dica que te dou é: vá entender sobre finanças. Porque mesmo entendendo, você vai dar uma patinada em alguma coisa. Então, precisa estar aprendendo sempre.

Passo 1: Estudar

Vai estudar um livro, fazer eventos de finanças, assistir vídeos no Youtube ou falar com alguém a respeito disso. Vá aprender coisas novas e canalizar as energias que estava gastando errado.

Passo 2: Conquistar

Essa é a parte mais difícil do negócio. Não se trata mais de teoria, mas de prática. Vou te dar um exemplo: você deseja caçar javalis. Antes de ir para o mato, você deve aprender como fazer isso. Entende que primeiro precisou estudar, porque você nunca viu um javali, não sabe como ele é, como ele se comporta? É um animal forte e para matá-lo sem arma de fogo não é tão simples assim. Imagine o drama de abater um javali sem saber como; não dá. Você tem que ter feito a fase de estudo, para passar à fase da conquista. Quando você aprende toda a teoria, chega a hora de praticar. É por isso que eu falo que esta é a fase mais difícil.

Passo 3: Multiplicar

É aqui que está o segredo: poucas pessoas entendem de multiplicação. Você precisa multiplicar o javali que abateu. Só que a maioria das pessoas quer apenas consumi-lo. Você pode fazer diferente: vender a sua pele, os ossos, a carne, tudo que quiser e multiplicar o que conquistou.

Passo 4: Patrimonializar

É transformar em patrimônio o que você multiplicou. Dinheiro líquido é patrimônio também. Eu sugiro que você faça uma reserva de emergência (seis vezes o valor da sua renda mensal) e direcione o restante para outros negócios. Investimentos na bolsa, imóveis, sociedades em empresas e compras em leilões, por exemplo.

O melhor investimento é aquele que te traz satisfação e você mais gosta de fazer. Enquanto o mundo se chamar Terra, você precisa aprender a multiplicar e patrimonializar a terra com autoridade no assunto.

Ontem mesmo, me conectei com um cara "forte" e famoso. Quando perguntei quanto ele tinha de patrimônio, respondeu que não tinha nem 2 milhões. O que adianta você ser reconhecido no que faz e não ter patrimônio?

Em todas as palestras de finanças, eu pergunto: quem tem duas ou mais escrituras em seu nome? A resposta é quase sempre a mesma: em um ambiente de quinhentas pessoas, elas nunca passam de cinco.

E isso não acontece só na minha cidade, mas em qualquer lugar do mundo que eu já fui. Suíça, Alemanha entre outros lugares. É um problema de consumidor, pois consumidor não dá conta de patrimonializar.

Quantas escrituras você tem em seu nome? Ok, vou deixar isso para as tarefas.

Passo 5: Compartilhar

Não espere você morrer para passar para frente os teus bens.

Sei que seus pais te enganaram quando diziam que tudo que era deles era seu. Mas, pare de enganar seus filhos hoje! Ensina para eles que nada é deles. Assim, irão ter o desejo de aprender rápido os 5 passos do dinheiro: estudar, conquistar, multiplicar, patrimonializar e compartilhar.

Espero que meus filhos com trinta anos tenham mais patrimônio do que eu, mas essa é uma projeção minha. Vou ensinar tudo do meu know-how (como fazer), passar o que já aprendi, para eles nunca dependerem de herança. A única herança que vou deixar para eles é: a instrução.

TAREFA - Os Cinco Passos do Dinheiro

---

1. Qual a diferença entre estudo e escolarização?

____

____

____

____

____

____

2. Se você tivesse todo o dinheiro do mundo, o que você estaria fazendo agora?

____

____

____

____

____

____

3. Escreva duas ações que você irá tomar depois de obter conhecimento?

____

____

____

____

____

____

4. Liste 3 formas práticas de multiplicar seus recursos.

5. Crie um hábito para deixar de ser consumidor.

6. Em qual dos cinco passos você está? Estudando, Conquistando, Multiplicando, Patrimonializando ou Compartilhando?

7. Utilize o quinto passo do dinheiro e compartilhe esse conteúdo com pelo menos duas pessoas para fixação e transbordo.

8. Quantas escrituras você já tem no seu nome?

CAPÍTULO 15

AS CINCO RENDAS

“Trabalho bom é aquele que tem data para acabar.”

O TRABALHO É A MENOR DELAS

Por que dignifica o homem? Foi um castigo. No início não precisava disso. O lavrar a terra era uma diversão, só que depois da queda, Deus colocou os comandos em todo mundo. Depois da queda, Lúcifer foi condenado ao inferno e Adão a suar para comer entre espinhos e abrolhos. Lá no Éden não tinha ar-condicionado, mas era tudo próspero, a terra dava cem para um e agora várias terras não dão nada. Eva também teve a sua condenação; a serpente perdeu as pernas e teve que rastejar-se.

A consequência que você tem por não ter conhecimento é de se lascar na vida. O conhecimento liberta, só que também aprisiona.

Se você descobrir algo e não praticar, você fica pior do que quando não sabia. Ignorar às vezes sai mais barato, só que você paga imposto com a sua vida.

Não é o trabalho que dignifica o homem; você aprendeu errado. Se o homem não trabalhar, ele morre de fome, é humilhado; ninguém bota fé em quem não trabalha. Não importa se você não precisa, se tem herança, se é playboy; se você é assim você não vai prosperar. Filhos não prosperam, homens prosperam.

Homem tem que ir para caça, defender a família, seu cônjuge; homens vão para cima.

Se você acha que eu falo isso porque sou preguiçoso, vou te contar uma coisa: a minha média de produtividade é de 17h30min por dia. Só que atualmente estou fazendo *handover* das minhas coisas para poder diminuir isso e ter mais tempo de qualidade com a minha família, porque a minha aposentadoria ainda vai demorar um pouco: vai ser dia 17 de abril de 2027 às 18h.

Por que essa treta com trabalho?

Eu amo trabalhar, "acho da hora". Já fui workaholic, que é aquele cara que não para de trabalhar um segundo, mas não rola. Fazer isso é passar a vida inteira caçando remédio para descansar dessa treta. Por isso não funciona, vai curtir a sua família, mas entenda que você tem a fase do aprendizado, que é a pior de todas.

Vamos lá! A primeira renda é o trabalho, a segunda é o lucro. O cara do lucro é quem entende das coisas, quem coloca pressão.

Salário sempre será inimigo do lucro; para ter lucro você não pode pagar tão bem. E você, que é trabalhador, aprenda isso: grandes grupos vão sempre pagar mal aos industriários. Só vão pagar bem para aqueles que fazem parte da gestão, e os outros sempre irão ganhar pouco; assim, sobra mais lucro.

O terceiro tipo de renda é o patrimônio, e o patrimônio volta no lucro, porque têm muitas empresas que não tem lucro, mas têm patrimônio.

A Amazon é uma das maiores empresas; ela não tem nada que gera lucro, mas tem um patrimônio de *branding*, de nome poderoso na Terra; o valor de mercado da empresa é gigantesco, só que não tem nada no estoque.

O Uber não tem lucro, na verdade dá até prejuízo, só que continua crescendo, e tudo isso por conta do patrimônio. Anota assim: patrimônio é maior que lucro. Por isso que nessa geração as pessoas não se importam tanto com o lucro, porque ele não dá conta de salvar uma empresa. A empresa tem que ser maior que dez anos de prejuízo, por isso patrimônio é a parte chave de qualquer negócio.

Depois do patrimônio vem a renda passiva; pouca gente investe e entende disso. O que é isso? É você acordar e nenhum membro do seu corpo precisar trabalhar: o negócio vai trabalhar automatizado.

Renda passiva é um fluxo: quanto mais água você solta, mais peixes vão subindo; a renda passiva são os peixes. Qual a diferença entre renda passiva e renda ativa? Na renda ativa, como o nome já diz, você está ativo; você coloca a mão.

Por exemplo, você vai fazer um curso online: a primeira vez que você faz, a primeira turma será uma renda ativa, porque você está fazendo, gravando e tudo mais. Nas próximas turmas já será uma renda passiva, porque o curso vai rodar automático.

Em 2018 dei mais de trezentas palestras. É uma vida que eu não quero mais hoje, só que para chegar até aqui, eu precisei insistir sem parar.

Renda passiva faz você atingir coisas em um ano que pessoas levam dez; depois do primeiro tripé de renda passiva o "pau quebra". Acordar e não precisar depender de mais nada não é a vida de preguiçoso, é desfrute.

E por último vem a renda eterna. Anota assim:

Tudo que você investe em pessoas você está investindo em Deus.

Quando você investe em uma pessoa, não tem como calcular o seu retorno, e se você não tiver esse valor, não funciona. Esses dias estava fazendo negócios com novos sócios e perguntei para eles: "Qual o seu propósito?" E um deles respondeu: "Eu quero me aprimorar!" E eu falei: "Para isso você não precisa entrar nesse negócio, você pode melhorar sozinho." E ele falou: "Eu quero alcançar pessoas, por isso estou nesse negócio." Aí sim falamos a mesma língua.

Não mexa com gente que não esteja focada em servir pessoas; isso é renda eterna, é aliança com Deus.

Recapitulando, salário é inimigo do lucro, lucro é inimigo do patrimônio, o patrimônio se não estiver gerando renda, é inimigo da renda passiva e a renda passiva te deixa em paz para investir em pessoas; e isso é renda eterna.

TAREFA - As Cinco Rendas

---

1. Identifique os 5 tipos de rendas citadas.

____
____
____
____
____
____
____
____

2. Qual a diferença entre renda passiva e renda ativa?

____
____
____
____
____
____
____
____

3. Salário, Lucro, Patrimônio, Renda Passiva e Renda Eterna. Em qual situação você se encontra? Defina o seu próximo passo, coloque data e quais tarefas irá realizar para alcançá-lo.

4. Qual a diferença entre salário e lucro? Elabore um plano de ação para sair do salário e ir para o lucro.

5. Qual porcentagem do seu lucro, você transformou em patrimônio nestes últimos dez anos?

6. Identifique no mínimo 3 fontes de rendas passivas e coloque datas para elas se tornarem ativas.

____

____

____

____

____

____

____

____

7. Identifique no mínimo 3 fontes de rendas eternas e coloque datas para executá-las.

____

____

____

____

____

____

____

____

CAPÍTULO 16

OPORTUNIDADE X ATITUDE

“Não se preocupe em como fazer, apenas faça. O importante é começar, entrar em movimento.”

CAVALO ARREADO NÃO PASSA SÓ UMA VEZ

Mentira isso, cavalo arreado são oportunidades e se você quiser cavalos arreados saiba, irá precisar de atitudes. Qual é o problema de todo mundo? O tempo gasto na espera! Você foi configurado desde pequeno a ganhar coisas, bastava fazer um pouco de birra e esperar. Anota assim: prefiro aprender a ganhar.

Ganhar é muito bom, mas é melhor dar do que receber, isso é bíblico. É melhor você ter posses do que ficar esperando alguém te dar algo. Fazer o que quiser ao invés de ficar esperando a autorização de alguém para fazer algo.

Deus, quando ensinou esse princípio, quis dizer que é um doador; que Ele não precisa ficar recebendo as coisas, pois é o Dono de tudo. Quando ouve que tem que doar, parece que você tem que dar o que você não tem; isso acontece porque você não aprendeu como transbordar.

VOCÊ PRECISA ENTENDER A FRASE: É MELHOR DAR DO QUE RECEBER.

Se realmente estiver configurado no modo aprendizagem e não no modo ganhar, tudo o que você aprender dará conta de passar para frente, de ensinar outra pessoa e entender que é preciso compartilhar, para fixar o conteúdo. Na matriz de ensino e conhecimento é preciso compartilhar para aprender, ou seja, é sempre melhor dar do que receber.

A palavra mais poderosa para o cérebro chama-se atitude; ela tem uma ressonância que você nem imagina. Tem um poder energético que você não faz ideia.

Atitudes não são vazias, elas precisam existir, e quando eu me movimento, eu mudo meu pensamento e atraio aquilo que eu quero.

ATITUDES ATRAEM OPORTUNIDADES.

Tem gente que fala: "Ah, perdi a oportunidade da minha vida!" Não tem como você perder algo que você nunca teve. Coloca isso na sua cabeça; se não foi contabilizado, não tem prejuízo.

Não existe prejuízo se não tiver entrado no seu caixa.

Novas atitudes vão fazer você ter novas oportunidades. Por exemplo, sou de Goiás, morava em Goiânia e vim para São Paulo. Meu custo fixo mensal teve um aumento em 8 vezes, meu estilo de vida mudou. Para isso acontecer eu tive que tomar várias atitudes, e foram atitudes pesadas, que envolveram gastar 8 vezes mais do que estava acostumado. Essa atitude começou a abrir um mar de oportunidades, como por exemplo, falar no evento do Gary Vee, que teve aqui em São Paulo. Tudo isso porque estar aqui me permite conectar mais.

Não adianta copiar minhas atitudes, você precisa tomar aquelas que fazem sentido para você.

Eu acredito que oportunidade não existe, ela nasce com atitude. Vou fazer uma alegoria, dar um exemplo que acontece na roça. A vaca tem o leite que sustenta o bezerro, só que ela não procura o bezerro para alimentá-lo, apenas aparece no pasto "cheirando leite" e o bezerro que corre atrás do seu sustento. A vaca nesse exemplo é a oportunidade, e o bezerro só se alimenta porque tem a atitude de ir buscar naturalmente.

Se você me acha "doidão", doido é você que não tem atitude.

Não tem como você ter novas oportunidades sem ter novas atitudes; atitude move montanhas. Maomé uma vez disse assim: "Eu vou trazer a montanha aqui amanhã e vocês devem chegar no horário!" Todo mundo chegou; o povo pirava em Maomé, ele era um político rico e muito engajado, e disseminou a voz que: "Ele iria trazer a montanha até ele!" e todos ficaram abismados com isso.

Só que a montanha não veio, e todos ali ficaram aguardando, achando que ele ia fazer algo extraordinário, um milagre, ou que a montanha ia pular no colo dele, sei lá.

Ele repetiu: "Montanha, venha até Maomé." Sabe o que aconteceu? A montanha ficou quietinha. Então Maomé virou e falou para todos assim: "Se a montanha não vem até Maomé, Maomé vai até a montanha".

E todo mundo pirou, aplaudiu e tudo mais; parece uma besteira essa história, só que ela é louca demais! Se você prometer que algo virá até você e isso não vier, vá atrás desse negócio.

Eu acredito! Assim como Jesus falou: "Se você tiver fé do tamanho de um grão de mostarda, você vai conseguir transportar os montes de lugar". Ele é profeta, é o Deus vivo em pessoa. Ele disse, sua fé pode ser do tamanho do menor dos grãos e se você tiver, já é o suficiente para você fazer muitas coisas. Só que até você chegar na parte de conseguir transportar os montes, você vai ter que ir atrás deles.

O que você quer? Agora pense no que você realmente quer mesmo, vá em direção a isso, **porque a atitude vai fazer você ficar cada vez mais próximo da sua montanha.**

Existem oportunidades que estão sendo dadas a outras pessoas e não a você, porque você não tem atitude. Se você acha isso difícil é porque não gosta de ter atitude; quer que as pessoas entrem, peguem na sua mão e façam por você à sua parte. Pare com isso! Decida logo ter atitudes diárias.

Vencedores fazem diariamente o que derrotados fazem ocasionalmente. Nunca deixe de ter atitude, você tem que ter todos os dias, incansavelmente.

Quais atitudes você ainda não tomou, que já deveria ter tomado?

TAREFA - Oportunidade X Atitude

---

1. Você prefere aprender a pescar ou ganhar o peixe? Prefere ganhar R$1.000.000,00 ou aprender o caminho para o milhão?

2. Em sua próxima visita à casa de alguém, se lembre de ser gentil. Leve um "presente"; pode ser um chocolate, um item de decoração, flores ou qualquer coisa que demonstre que você se preocupa com aquela pessoa. Cultive esse hábito. É muito melhor dar do que receber!

3. "Oportunidades são criadas através das atitudes." Quais atitudes você vai tomar para criar novas oportunidades?

4. "Já que a montanha não vem até Maomé, Maomé vai até a montanha." Pense em como você poderá usar esse código para expandir o seu network. Marque uma data para que isso aconteça e relate aqui a sua experiência.

5. Qual é o significado da palavra inflexão? Quais as atitudes que geram inflexão? Lembre-se: a oportunidade nasce com atitudes.

6. Quais atitudes você não tomou que se arrependeu? Você já anotou ela no livro: cagadas da sua vida?

7. Pesquise e ouça o resumo do livro *Ponto de Inflexão* - Flávio Augusto.

CAPÍTULO 17

CINCO FASES DE QUALQUER EMPRESA

"Assim como as pessoas vivem em ciclos, as empresas vivem de fases; e para crescer, você precisa deixar o rio fluir."

AS DATAS QUE VOCÊ PRECISA TER NA PALMA DA MÃO

O primeiro passo de qualquer negócio é colocar data para abri-lo; sem isso não adianta nada, você precisa matar a ideia. Encontrei um amigo que estava frustrado porque deixou de ganhar 400 milhões de reais com a empresa Uber, porque quando apresentaram para ele, não acreditou na ideia e não entrou. Tem vários amigos meus que tiveram ideias geniais e nunca fizeram nada. Se tiver a ideia, já coloca a data para fazer o negócio. A abertura do negócio mata a ideia.

Executar a ideia, abrir o negócio, é o primeiro passo.

Você pode memorizar esses passos na sua mão; o primeiro dedo, que é o polegar, vai ser a data para abrir o negócio.

Segunda data, segundo dedo, é o *break even point* ou ponto de equilíbrio em português. É quando a empresa consegue se equilibrar e parar de usar dinheiro do dono e ter o seu próprio dinheiro do fluxo de caixa para pagar as contas; é a maioridade da empresa, quando a própria empresa arruma um trabalho e entra em um fluxo que ela mesma consegue se pagar. Ainda não estamos falando de lucro, apenas de cobrir seus custos.

A terceira data é poderosa. Esse terceiro dedo vamos chamar de *payback*, quando o dinheiro investido volta para o bolso do dono. Vou te explicar melhor: suponhamos que você abriu o negócio com 1 milhão de reais. Precisa ter claro e calculado o seu ponto de equilíbrio e o *payback*, dia em que o milhão voltar para você. Abriu o negócio, dá um "folegozinho" de uns 6 meses; dali para frente programa os boletos para receber de volta mensalmente, porque você precisa achar gordura dentro da empresa para retirar o que foi investido.

Primeiro: abrir a empresa, matar a ideia. Segundo: *break even point*, ponto de equilíbrio, onde ela se sustenta sozinha. Normalmente isso acontece depois de 6 meses. Terceiro: *payback*, que geralmente ocorre em 2 anos. Tem negócio top que devolve o capital investido em doze meses.

Hoje, eu ouvi sobre um negócio que o cara compra e já tem o *payback* na hora. Vários negócios têm *payback* muito rápido e, às vezes, o valor para entrar no negócio é bem inferior ao faturamento. Boas franquias são assim, te aconselho a pesquisar sobre esses tipos de negócios que surgem milhões a cada dia.

A quarta data, o próximo dedo, é o passo de contratar um CEO. No Brasil, essa prática ainda é pouco conhecida; as pessoas acham que elas têm que tomar conta da empresa até morrer. CEO significa *Chief Executive Officer*, ou seja, Diretor Executivo; a autoridade máxima na empresa, quem faz o negócio acontecer, tem carta branca para tocar o terror. O CEO faz apresentação de resultados e o dono da empresa pode curtir adoidado. Eu espero que você chegue logo nesta data.

Você que já é dono de uma empresa, ou logo vai ser, deve instalar esse drive; contratar um CEO assim que a empresa se sustentar sozinha.

Eu já contratei um CEO, com trinta e dois anos de idade, e estou terminando de fazer o *handover*, passar o bastão para ele. Ele toca a empresa e eu curto a vida adoidado. É duro, eu sei, você quer morrer tomando decisões da sua empresa, mas não precisa.

Por que contratar um CEO? Contrate um cara mais experiente que você, mais safo que você e que consiga levar a empresa para mais longe que você, e não vai precisar ficar ensinando a vida inteira.

Precisa ser um cara em que você confia, alguém que vai te deixar fora do operacional para elucubrar coisas novas. A empresa vai ficar mais profissional e organizada. O CEO vai cortar seus defeitos que são aparentes, pegar no seu pé e dirigir o seu negócio. Sua empresa vai alavancar e crescer mantendo a sua essência.

A quinta e melhor fase de todas é a data que você vende seu negócio. Quando eu me sento com donos de *startups* e vejo que eles não têm data para vender o negócio, eu fico com pesar, pois é um povo apaixonado por coisas.

Não adianta se apaixonar pelo negócio; dessa forma ele não prospera. Apaixone-se por servir as pessoas e qualquer coisa que colocar a mão você vai prosperar.

Mais uma dica poderosa que eu te dou: coloque data para vender. Se você quiser deixar de herança, venda para os seus filhos. Mesmo que eles paguem você com o lucro do negócio, que dure o tempo que você estiver vivo, não dê o negócio para ninguém. A questão geracional só dá certo em 15% dos casos na primeira geração e 5% na segunda. Essa transmissão geracional de empresas não funciona muito aqui no Brasil.

Vou recaptular os cincos passos:

1º Passo – Mate a ideia e abra o negócio. (Polegar)
2º Passo – *Break even point*, ponto de equilíbrio. (Indicador)
3º Passo – *Payback*, investimento recuperado. (Médio)
4º Passo – Contratar um CEO, profissionalizar o seu negócio. (Anelar)
5º Passo – Transmitir o negócio, vender. (Mínimo)

Empresas tem que ter uma data de venda. O seu CPF tem data para acabar, o seu CNPJ não? O dia que você entender isso você vai ter uma empresa tipo American Express de quatrocentos anos. Fechou?

TAREFA - Cinco Fases de Qualquer Empresa

1. Quais os 5 passos de uma empresa? Escreva abaixo.

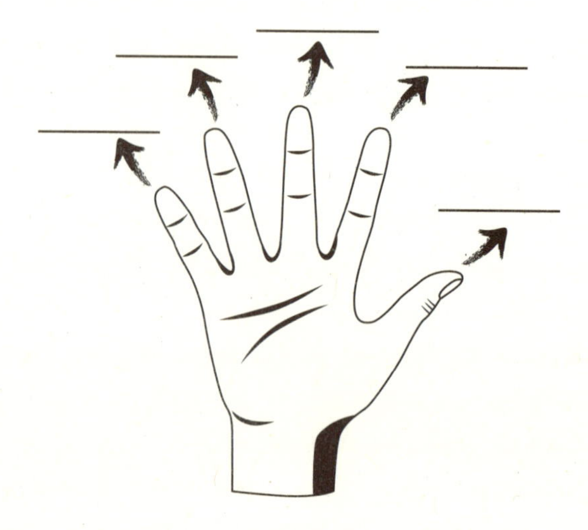

2. Qual a importância de um CEO dentro de uma companhia? Escreva 3 benefícios de ter um CEO?

3. Todo bom negócio tem que ter data para acabar, ou seja, para passar adiante, fazer *handover*. Qual a data de venda ou sucessão da sua empresa?

_____/_____/_____

4. A porcentagem de sucesso de uma empresa familiar é cada vez menor. Por isso, monte uma estratégia de venda ou sucessão para uma empresa familiar.

5. Estude 3 maneiras de deixar a sua empresa ou a sua casa ainda mais automatizada.

6. Compartilhe com duas pessoas o conteúdo desta aula.

PESSOA 1	PESSOA 2

CAPÍTULO 18

ONDE EU NÃO COMEÇARIA INVESTINDO

“Nem sempre o que todo mundo faz é aquilo que precisa ser feito.”

NÃO ENTRE EM DESUSO

Eu vou te mostrar uma nova mentalidade, e o que você não concordar, pode seguir no que você acredita ser o melhor para o momento da sua vida. A tecnologia, a inovação e a disrupção estão atuando com muita força, então pare e perceba que existem muito mais facilidades para você prosperar rápido.

Por exemplo, no ramo da pecuária, se você for investir em bois, eu te daria três opções: a primeira seria o boi Nelore, que é um boi tradicional, aquele branco bonito. A segunda seria o Tabapuã, que é um boi parecido com o Nelore, só que sem os chifres. A terceira opção seria o boi Montana, que é aquele boi marrom baixote das canelas curtas.

Provável que você prefira o Nelore, porque todo mundo tem ele e, na sua cabeça, você acha que é a melhor opção. Só que você não pode escolher algo porque todo mundo tem. Você tem que preferir um boi que é precoce, que cresce e engorda mais rápido para dar resultado mais rápido, que é o caso do boi Montana.

Montana é um boi que se você estudasse e o comprasse, teria um ótimo resultado. É um boi caro e talvez você precise mudar a sua fazenda para que ele se adapte ao capim, mas você não está entendendo, o resultado é muito rápido. Você vai criar o boi do mesmo jeito, só que com um boi precoce; a velocidade do seu retorno é maior, esse é o segredo.

Por isso eu não começaria investindo em coisas que precisam de muito estoque, de espaço físico; está cada vez mais caro. Eu daria preferência para coisas *on demand*, onde eu faço por demanda ou entrego por demanda.

Por exemplo, se fabrica roupa, tem como você ter um estoque gigante, ficar acabando com ele ao longo do tempo ou trabalhar com estoque reduzido. Você também tem a opção de tirar pedido, mandar fabricar e entregar. Nesse caso você pode até terceirizar para ir mais rápido. Um estoque pode ser dividido em três tipos: gigante, razoável e sem estoque, sendo que "sem estoque" é o melhor de todos. Cuidado com estoque! Para mim, dinheiro de estoque fede, demora a voltar para o circuito. É um negócio que eu não investiria de jeito nenhum. Outra coisa que eu não investiria é em negócio que tem muita gente. Jeff Bezos tem uma frase que diz:

"Uma equipe que não pode ser alimentada por duas pizzas, é grande demais para discutir ideias."

Você que acha exagero, vou voltar lá na empresa de telecomunicações que trabalhei, quando liderava mil e cem pessoas. Os portugueses compraram parte da empresa e eles chegaram e perguntaram para mim: "Quantos analistas você tem?" Analistas são os caras que tiram relatórios e tudo mais. Aí eu respondi: "Dezesseis." E eles anotaram no caderno assim: "A partir da nossa gestão esse executivo só terá um analista." Eu questionei e eles responderam: "Porque tudo isso dá para fazer por sistema."

Eu olhei para eles e, confesso que eu olhava para portugueses achando que não sabiam nada, porque a gente sempre fez piadas com eles. Mas posso te falar?

Os caras são "feras". Eles passaram o rodo na companhia. Tinha gente demais para fazer as mesmas coisas, porque não tínhamos um sistema poderoso.

Cuidado com o estoque e cuidado com muita gente; mostra ineficiência.

Por isso, eu também não investiria em um negócio que não tem sistema; você não consegue escalar e, para um negócio crescer você precisa escalar. Se for muito manual, você também não pode investir. Pode ser a maior empresa do mundo; se estiver focada em conceitos tradicionais e antigos, vai entrar em desuso.

O maior exemplo disso é a Kodak. Ela foi uma das maiores indústrias da inovação no mundo. Enquanto Thomas Edison inventou a câmera fotográfica, George Eastman, inventou o filme fotográfico. Só que um engenheiro que trabalhava na Kodak inventou a máquina digital, e a família Eastman não o deixou mostrar para ninguém. Quando explodiu esse negócio, eles não surfaram na onda da própria invenção.

A Blockbuster era a maior locadora de vídeo do mundo e quebrou. A Kodak era a maior empresa de inovação do mundo, principalmente em filme fotográfico e quebrou. Eles esconderam a máquina digital, porque faturavam bilhões com filmes, com o líquido de revelação de imagem hospitalar e mais tantas outras coisas. Sem contar que trabalhar com o "digital" era algo que não queriam. Só que isso teve um preço alto; como não acompanharam o processo, acabaram perdendo para a "própria" inovação.

Não guarde suas ideias! Elas só têm valor quando são executadas e é melhor ser você o executor!

Outra coisa que eu não começaria investindo seria em coisas burocráticas. Aquelas que têm baixo lucro e precisa rodar uma "roda gigante" para você ver o retorno, como é o caso da cadeia alimentícia. É algo muito bom, mas o lucro é baixo. Eu conheço uma distribuidora, a maior do Brasil, que entrega para quase todos os supermercados e fica com apenas 1% de lucro. Só acaba compensando porque são bilhões de faturamento. Mas se alguma coisa dá errado, você quebra, porque tem apenas 1% de lucro. É algo muito arriscado.

Se você ainda não entendeu, eu não começaria investindo em coisas tradicionais. Por quê? As vendas das lojas físicas estão caindo 5% todo ano; já as lojas online estão crescendo 10%. O que você acha?

Não quer dizer que onde eu não investiria, você está proibido; mas pode passar pelas ruas e ver: as pessoas não querem mais esse tipo de negócio. Você tem que acompanhar o crescimento.

Então, essas são as minhas dicas para você começar a abrir o seu bloco de investimentos; por isso expliquei onde eu não começaria investindo.

TAREFA - Onde Eu Não Começaria Investindo

---

1. Pesquise e liste 3 empresas que não trabalham com estoque físico.

____

____

____

____

____

2. Você conhece alguma empresa que trabalha com um número reduzido de colaboradores? Explique por que ela faz isso.

____

____

____

____

____

3. Identifique 3 deficiências de uma empresa que não trabalha com sistemas automatizados.

____

____

____

____

____

4. Identifique uma empresa que tem um bom lucro e cite 3 características que considera importantes.

____

____

____

____

____

5. Escolha uma ideia que você tem, faça um orçamento de gastos mínimos para executá-la e coloque uma data para isso. Você não é dono da ideia, só terá sucesso quando executá-la.

____

____

____

____

____

6. Pesquise na internet e cite 1 aprendizado para cada uma das empresas abaixo:

a. Kodak

b. Blackberry

c. Xerox

7. Diante das 6 tarefas anteriores, qual a primeira ação que você vai tomar na sua empresa ou qual você não vai tomar? Crie um plano de ação com tudo que você aprendeu nessa aula e aplique em seu projeto.

____

____

____

____

____

CAPÍTULO 19

A SEMENTE

“Sementes são ideias.”

UMA SEMENTE NÃO É SÓ UMA SEMENTE

A semente não demonstra seu potencial enquanto ela ainda é somente um caroço. Por isso, você precisa se esforçar, treinar o cérebro para ver a fotografia, para enxergar o final.

Isso é tão interessante, que você olha para um caroço de manga e pensa: "É só um caroço de manga." Na verdade, ele nunca foi só isso. Aquela manga nunca foi só uma manga; ela era uma semente com potencial de milhões de frutos.

Depois mudei meu estilo de olhar para as coisas, por exemplo, quando olho para uma manga, enxergo nela a sua verdadeira identidade: uma mangueira.

Dificilmente você vai encontrar pessoas que conhecem a sua verdadeira identidade, e quando não sabem quem são, perdem a vida inteira vivendo uma fraude. Aquilo que nasceu para ser uma árvore frutífera se resume em um caroço.

A condição que você vive hoje, não te define.

Assim como o caroço de manga precisa explodir para tornar-se uma mangueira, você precisa sair dessa condição e explodir a ogiva que habita em você. Vocês entendem essa analogia?

Quando você joga um grão de milho na terra, por exemplo, não está vendo apenas a semente, mas um pé com algumas espigas de milho, que cada uma pode ter de quinhentos a oitocentos grãos. Quando olho para os meus filhos pequenos, não vejo crianças, mas homens que estão no estado de criança; só que na verdade são nações.

Eu estive em Jerusalém e cheguei a uma conclusão muito louca: o país inteiro de Israel, desenvolvido e poderoso, é fruto de um cara chamado Jacó, que virou Israel, a nação.

Nações começam com uma pessoa, uma semente. É uma coisa bem simples. O seu milhão também: você só precisa ter uma ideia de mil reais, que é a semente, e vender para mil pessoas, que é o seu milhão. Quando entende sobre a semeadura e colheita, fica mais fácil saber multiplicar qualquer coisa. Você precisa visualizar o desfrute, lançar essa semente na terra e cultivar até colher o fruto.

Como ter uma ideia de mil reais?

- **Produto**

Criar um curso, aplicativo, objeto ou evento. Entenda o produto como a criação de algo virtual ou físico.

- **Serviço**

Você pode usar seus talentos para ensinar os outros. Através de mentorias, cursos, consultorias ou organização de eventos.

- **Acesso**

Você pode fazer a organização de um evento para mil pessoas com o custo de mil reais cada acesso.

O segredo está na ideia. Essa ideia tem valor? Porque você só pode colocar preço em algo que tem valor.

Teve um mendigo que fez o método IP em São Paulo e Deus falou para mim: "Dá um milhão de reais para ele." E eu pensei: "Será que é o diabo falando aqui comigo?" Só pode. E eu fiz uma pergunta: "Como dar um milhão para ele? Para que fazer isso? Esse cara é um mendigo, ele vai torrar tudo."

Mas, eu sou muito obediente ao que Deus fala para mim; só que eu pensei que era o diabo na hora, confesso. Deus me respondeu: "**DÁ A SEMENTE DO MILHÃO.**" "O que é a semente do milhão?" Eu perguntei. Ele me respondeu: "A semente do milhão é mil."

Tudo que você tiver dúvida, faça perguntas.

Eu peguei mil reais em dinheiro e dei na mão dele e disse: Não pode comer esse dinheiro, é uma semente, e a semente precisa ser plantada, não coma sementes.

Pessoas do mundo inteiro ficam me pedindo todo dia pelo Instagram para eu dar o método IP para elas, só que não tem como você prosperar e colher coisas sem semente. Tem que ter a sua semente envolvida no negócio.

Na tarefa, você vai colocar os tipos de ideias que você precisa ter para bater o milhão; pode ser fazendo sociedade com alguém, estudando algo, vendendo o seu know-how, o seu conhecimento, entre outras coisas. Essa semente é determinante.

Se você não tem uma ideia, um know-how para bater essa ideia de mil, te sugiro bater uma ideia de quinhentos, só que nesse caso você vai ter que vender para duas mil pessoas. É fundamental que você ame a semente, porque a semente tem um potencial todo dentro dela. Ela precisa cair em uma terra boa, precisa de adubo e manutenção. Nessa manutenção você precisa acompanhar, porque o crescimento quem dá é Deus.

Deus é quem dá a semente e também o crescimento. Ele só não planta, porque essa é a sua parte.

Escolha boas sementes, para não ter problema na hora de colher.

Bora ter uma boa ideia?

Daí você me fala: "Pablo, me falta a ideia, a semente." E eu respondo: **"CONECTE-SE COM PESSOAS."** Para surgirem as ideias, você precisa se relacionar com alguém que vai ativar algo na sua cabeça, pois a interação de dois cérebros produz a semente chamada ideia.

Novos caminhos, novas ideias, novas pessoas, novas ações e novos resultados.

TAREFA - A Semente

---

1. Você precisa se esforçar, treinar o cérebro para ver a fotografia, para enxergar o final. Crie uma ação para visualizar a fotografia nas áreas abaixo:

a. Financeira

---

b. Familiar

---

c. Saúde

---

2. Mude o seu olhar, comece a ver a identidade das sementes, ao invés de ver somente o seu exterior. Liste 3 coisas que já você sabia que daria certo, antes mesmo de começar.

---

3. Você já compreendeu como fazer o seu milhão. Agora qual será o produto, serviço ou o acesso que irá transformar em realidade?

____

____

____

____

____

____

____

4. Qual será a data para essa realização? É preciso colocar data!

_____/_____/_____

5. Quantas pessoas do seu relacionamento bateram o primeiro milhão?

____

____

____

____

____

____

____

6. Converse com pessoas que bateram 1 milhão e descubra 3 coisas em que elas erraram. O que você vai aprender com esses erros?

____

____

____

____

____

____

7. Eu acredito em você! Escolha 3 sementes (ideias) suas e compartilhe com 3 pessoas.

____

____

____

____

____

____

____

CAPÍTULO 20

A TERRA

“Não existe terra boa; existe a boa pessoa que cuida bem da terra.”

QUAL O NOME DO LUGAR QUE VOCÊ VIVE?

Este capítulo é sobre a Terra; o planeta que você mora chamado Terra. Se você entender rápido o código que estou te falando, vai perceber que o lugar que você tem que investir, chama-se terra. A terra é o lugar de frutificar.

Eu vou abrir a sua mente com uma história que mexeu muito comigo quando pensei nela pela primeira vez.

Deus nos fez da terra. Ele poderia nos fazer do minério, do ar, da água, do ouro, do rubi. Mas, Ele nos fez do quê? Da terra. Pare para pensar, qual seria a lógica para Deus nos fazer da terra?

A terra é onde você planta a semente, e ela cresce e dá fruto.

Deus colocou você na Terra, Ele colocou a própria semente na terra e fez você à Sua imagem e semelhança. Sêmen no latim quer dizer semente; a sua semente dá frutos. Você precisa entender que a terra é produtora e multiplicadora. Ou seja, você tem a semente e "também" a multiplica, tem lógica isso para você?

Jesus fez uma alegoria em Mateus capítulo 13:3-8 (KJA).

"3 Eis que um semeador saiu a semear. 4 Enquanto realizava a semeadura, parte dela caiu à beira do caminho e, vindo as aves, a devoraram. 5 Outra parte caiu em terreno rochoso, onde havia uma fina camada de terra, e logo brotou, pois, o solo não era profundo. 6 Porém, quando veio o sol, as plantas se queimaram; e por não terem raiz, secaram. 7 Outra parte caiu entre os espinhos. Estes, ao crescerem, sufocaram as plantas. 8 Contudo, uma parte caiu em boa terra, produzindo generosa colheita, a cem, sessenta e trinta por um."

Qual dessas terras você é?

Eu acredito que você é uma terra boa para produzir e as pessoas também, o problema são as crenças, elas bloqueiam o crescimento e comprometem os frutos.

Para a terra produzir cem por um é preciso respeitar o ciclo. Tem uma coisa maluca que vou te contar. Quando Jesus falou: "Perdoe uma pessoa setenta vezes sete no mesmo dia." Poucas vezes Jesus soltou cálculos, e nesse caso, o resultado de setenta vezes sete é quatrocentos e noventa; foi esse o número de anos que o povo de Israel ficou exilado na Babilônia. Deus deu um comando para eles lá atrás, quando ensinou em Gênesis e Êxodo: "Vocês precisam deixar a terra descansar." A terra dava muito fruto, só que eles não tiraram o ano de descanso e como consequência, ficaram quatrocentos e noventa anos sem a própria terra.

A essência do negócio é entender de terra. Aprender que isso é poderoso; que a terra precisa de descanso e de sal.

As quatrocentos e noventa vezes que Jesus falou sobre perdoar alguém no mesmo dia, significa perdoar a mesma pessoa a cada 3 minutos. O que eu entendi com isso, foi que Ele jogou um código da terra: se você não der o descanso para a terra, não vai ser perdoado; vai ser expulso e ficar sem ela.

Aprenda uma coisa: se você não desfrutar e não descansar, você vai perder.

Adão estava no Éden e foi expulso da terra. Deus falou para ele: "Você vai ficar aqui comigo e desfrutar." Só que ele quis trabalhar, foi lá e caçou confusão com coisas que Deus não quis para ele, então perdeu a terra.

Você está pegando o código ou não? Terra é lugar de descanso.

Se você endurecer seu coração com alguma coisa, se deixar o solo duro, não cuidar dele e não cumprir as fases de descanso, você vai pagar caro por isso. Pois, no hebraico descanso significa desfrute.

A prosperidade é o crescimento, mas para crescer você precisa de uma terra boa. A terra é o coração e o cérebro. Do coração procedem as fontes da vida, e o seu cérebro é o que dá comando de aceitar e fazer. Se o seu cérebro está pronto para executar e o seu coração é bom, você sempre vai ser uma terra boa.

Engraçado, que aqui no Brasil você anda em alguns lugares que parecem o deserto Saara, sendo que meio metro antes desse "deserto" tem um oásis com coisas verdes plantadas até na rodovia. Agora você me explica, como existem pessoas prosperando em lugares "pobres"?

A terra é a mesma, só muda quem cultiva a terra.

Você pode ter a pior terra do mundo, ou a melhor, mas te falo uma coisa, dá para plantar até na areia. Em Aruanã, Goiás, perto do rio Araguaia, tem areia e o povo planta mesmo assim. Qual é a desculpa? Você precisa focar na terra, entender de terra, fazer ela descansar e aplicar o mineral que ela precisa.

Quem é a terra? Terra são pessoas! Você tem um sócio; será que seu sócio é terra boa? E você, é uma terra boa para alguém plantar? Se não for uma terra boa, você anula a semente que cai na terra. Semente muito boa e terra ruim é como 1x0; o resultado sempre será zero, já era. Tudo que você multiplica por zero deixa de ser pleno. Uma semente plena plantada em uma terra ruim é perdida.

O que você precisa para se tornar uma terra boa?

TAREFA - A Terra

1. Medite dez minutos sobre a terra que você tem sido.

2. Você tem sido uma terra multiplicadora?

3. Terra precisa de descanso e sal. Quais são as pessoas que representam o sal da terra para você?

4. Qual o dia do seu descanso? Lembre-se, você precisa descansar.

5. Para identificar se a terra é boa ou não, basta ver se as sementes plantadas frutificaram. As pessoas que você depositou sementes estão dando os resultados esperados?

____

____

____

____

____

____

6. Escreva duas ações que aprendeu para cultivar a terra. Agora, coloque uma data para executar essas ações.

____

____

____

____

____

____

7. Se conecte a 3 pessoas e veja como elas têm cultivado sua própria terra. Escreva o que você aprendeu com cada uma.

____

____

____

____

____

____

CAPÍTULO 21

OS ADUBOS

“Patrocinar alguém não é apenas investir, é acreditar que ele é capaz.”

ADUBOS SÃO PESSOAS

Esse capítulo é sobre os adubos; meu objetivo não é te ensinar a ser agricultor, fique em paz, é muito pior do que você imagina. Estou apenas usando alegorias para ficar mais fácil na sua cabeça, pois se for falar tecnicamente, você vai achar que é impossível. Mas, se eu falar de forma natural, eu crio um *background* na sua mente. Você sabe o que é um *background*? É um plano de fundo, e com ele as coisas ficam mais simples de entender.

O que são os adubos? Pessoas!

Pessoas são patrocinadoras; você precisa listar os seus patrocinadores. Tem um livro meu que chama: *A Chave Mestra do Universo*. Dos livros que já publiquei, recomendo que você tenha esse na cabeceira da sua cama, para você destravar essas paradas.

Adubo é networking, networking é 85% dos seus resultados.

Se você não tiver pessoas que já bateram milhão e que falam de milhão para você aprender sobre isso, vai acontecer algo muito simples: nada.

Você não vai ter com quem conversar; você vai conversar coisa de milhão com a sua avó, que não acredita em nada, e que ganha uma aposentadoria de R$1.600,00 por mês. Muitas pessoas não acreditam nesse negócio de milhão, só que é algo muito simples; mas para você entrar nisso, primeiro precisa ambientar o seu cérebro.

A primeira coisa a fazer é a semente; você precisa comprar semente de qualidade, que são ideias. Depois você precisa de uma terra boa, que cérebro e coração. Agora você precisa de adubo, pessoas que te patrocinam positivamente, gente que está com você, que te faz pensar o tempo todo; pessoas que só fazem você ficar maior do que você já é.

Você precisa ter patrocinadores, porém também precisa conectar-se com as pessoas para aprender a patrociná-las.

Então, você vai chegar em alguém e falar assim: "Você quer ser milionária?" E a pessoa vai responder: "Quero." E você vai perguntar: "Quanto você está disposto a pagar?"

Esses dias me perguntaram: "O sucesso é para todo mundo?" E eu respondi: "Não, pois não são todos que querem pagar o seu preço."

A sabedoria é para todos? Não, pois ninguém quer pagar o seu preço. A salvação é para todo mundo? Não, nem todo mundo quer aceitar Jesus como salvador. O Reino é para todo mundo? Não, nem todos querem construir a posição de governo em que Deus os colocou.

A riqueza é para todo mundo? Não, Jesus falou: "Os pobres sempre tereis convosco." Quando Ele falou isso eu já entendi, não tem como fazer o mundo todo ficar rico, porque as pessoas vão continuar sendo improdutivas.

Você tem pessoas que de fato dão ideias para você? Pessoas que são adubos?

Para clarificar quem são os adubos, você vai lembrar das últimas cinco vezes que se sentou para almoçar com seus amigos. Dessas cinco vezes você deve ter encontrado, em média, com vinte pessoas. Dessas pessoas, quantas não ficaram falando da vida dos outros? Falaram só de ideias? Essas pessoas, se existirem, são patrocinadoras, são adubos. Tem uma tarefa que vai pedir para você contar uma coisa muito boa que fez e falar para os seus amigos. Quais deles ririam e quais chorariam com você?

Vou te contar a real, arrumar gente para chorar com você é fácil, porque o mundo é negativo, agora eu quero ver você arrumar pessoas para rirem com sua vitória.

Me lembro quando bati 1 milhão de reais em um dia de trabalho, e não foi de trabalho físico; mas através de ideias e escalando isso em empreendimentos. Fui contar para um dos meus melhores amigos e ele foi o único cara que vi até hoje sorrir verdadeiramente por isso; foi muito massa. Pois ele sorriu falando: "Eu vou fazer a mesma coisa." E eu aprovo o apoio nisso.

Talvez muitas pessoas íntimas não vão gostar disso, porque eles nunca conseguiram fazer o milhão; é dolorido para eles. Pois, cada um tem a vida que merece. Eu não sou mau, mas entendi que tudo que eu planto, vou colher.

A vida é mais simples do que você imagina, só que é difícil. Simples, pois qualquer idiota sobrevive, acorda todo dia. Agora fazer o que tem que ser feito, diariamente; fazer acontecer para viver uma vida que vale a pena todos os dias, isso um idiota não dá conta de fazer.

Coloca uma coisa simples na sua cabeça, você precisa de adubo. Mas cuidado com adubo vencido, que são pessoas que não acreditam mais, e com excesso de adubo, pessoas que só dão opinião, mas não ajudam em nada; desse jeito você vai matar a semente.

Adubos são pessoas, sementes são ideias, terra é coração e cérebro.

Você vai ter que escolher os adubos. Eu sei que você quer escolher os melhores, mas posso te dar uma dica? Escolha pessoas que já estão dando bons resultados, isso vai fazer total diferença na sua vida. Adubo faz total diferença; faz uma planta que antes dava quatrocentas sementes passar a dar duas mil.

Mas cuidado com pessoas baratas: elas não deixam você bater milhão; não te deixam fazer nada.

Agora, vá fazer as tarefas que o milhão está chegando. TMJ!

TAREFA - Os Adubos

---

1. Quem são os seus patrocinadores?

____
____
____
____
____

2. Conecte-se a 3 pessoas para você aprender a patrociná-las.

____
____
____
____
____

3. Lembre das últimas 3 vezes que você esteve com seus amigos. Quantas dessas pessoas não falaram da vida dos outros e em vez disso patrocinaram ideias?

____
____
____
____
____

4. Conte uma coisa muito boa, que aconteceu com você, para 3 amigos e veja quantos deles sorriem com você e se alegram com seu crescimento.

____

5. Desconecte-se, ainda esta semana, de uma pessoa que é excessiva ou tóxica; esse tipo de adubo mata qualquer colheita.

6. Escolha novos adubos, ou seja, conecte-se a pelo menos duas novas pessoas que estão próximas a você.

CAPÍTULO 22

OS AGROTÓXICOS

“Nem todo bem faz bem, nem todo mal faz mal.”

UM MAL NECESSÁRIO

Muito pequeno. Por exemplo, se você plantar no quintal da sua casa, você não precisa de agrotóxico; mas se você escalar em uma lavoura, é quase impossível ficar sem ele. Tudo isso porque uma simples praga pode acabar com tudo de uma só vez.

O agrotóxico é usado para dar combate; você vai combater a inveja, as pessoas negativas, e até o diabo; por isso você precisa de prevenção, de agrotóxico.

Eu sei que está na moda e é bastante gourmet falar de coisas orgânicas. Eu também acho bonito, só que tem um detalhe: o orgânico na maioria das vezes é algo pequeno.

Igual ao Instagram, se você for vender um curso de forma orgânica, ao invés de ter oitocentos alunos você vai ter oitenta, e para atingir os oiticentos você precisa ir para o combate; usar ferramentas para aumentar as vendas. O mesmo acontece na sua "plantação": utilize ferramentas para aumentar a produtividade da lavoura, porque senão um simples ataque pode acabar com a produção.

Como usar o agrotóxico?

Um agrotóxico poderoso que você pode usar é aprender a dizer "não". Esse "não" se torna uma ferramenta poderosa no combate quando as pessoas querem matar a sua plantação. Outro agrotóxico é "fingir demência"; esse é o remédio mais barato que já vi. A pessoa fala mal e você "dá de louco"; pode até parecer sórdido, mas não é, só finge demência e acabou.

Outro exemplo de agrotóxico é a ação positiva de enfrentamento. **Não sei se você sabe, tem gente que gasta todo o dinheiro com adubo, agrotóxico e semente, só que na hora de plantar vira e fala: "Deus, agora é com você."** A pessoa até treme de medo, contando com chuva ou a falta dela, porque se não acontecer isso, a pessoa perde todo o seu investimento.

Por isso, para todo medo que você tem, o agrotóxico que você vai usar é a ação positiva de enfrentamento. O que é essa ação? É o que você vai fazer para tocar o terror e imediatamente pegar a energia que está te consumindo e jogá-la para frente.

Tem uma técnica de inteligência emocional que é capturar, converter e canalizar toda e qualquer energia. Só que quando você tem um agrotóxico, você tem um combatente; tem o cara do combate.

Os agrotóxicos são ações de dizer "não", de fazer perguntas, ações de ir para cima.

O caráter do agrotóxico é preventivo, se você for usar depois, você já vai ter tido uma perda substancial na sua lavoura. Então, se você quer realmente bater o milhão, você vai ter que aprender a usar isso.

Quando eu tinha doze anos de idade, li o livro *Pai Rico e Pai Pobre*. Engraçado, que esses dias lançaram a edição de vinte anos dele, e eu até comprei. Depois que eu li esse livro, vi uma reportagem na revista Veja falando que para ser milionário você tinha que colocar um salário mínimo todo mês, na poupança, dos seus dezoito até os sessenta anos. Dessa forma você teria 1 milhão. Eu pensei: "Vou bater o milhão só quando tiver sessenta anos." Mas eu bati com vinte e sete.

Tenho um sócio, que com vinte e dois anos e em uma única tacada, já bateu o milhão. Não importa se os outros acreditam em você, se eu acredito em você, se seu cônjuge acredita em você. Primeiro você tem que acreditar em você, pegar esses códigos que estou te ensinando e se conectar com gente que você ainda não conectou.

O milhão já é possível dentro de você, só que fica pensando na forma. Para de pensar no como e foca na semente.

Uma coisa que me dá multimilhão é o método IP. Porém, eu precisei usar agrotóxico nas pessoas da minha própria família, que sempre me falavam para eu não mexer com isso.

Eu tive que bater um agrotóxico em todo mundo e, são pessoas que eu amo. Eu não ouvi meu pai, minha mãe, minha esposa, não ouvi ninguém; porque eu sabia o que estava fazendo, eu sabia que era parte meu propósito. Agora, depois de mais de cem turmas, todo mundo que era contra, respeita por causa dos resultados.

Os que mais te amam, podem não te apoiar, mas não é porque eles não querem que você prospere; é que eles não entendem o seu propósito e têm medo que você se dê mal. Nessas situações, você vai ter que usar agrotóxico.

Saiba que aprender sobre lavoura é uma virada de chave. Pois, se você souber apenas isso, entender e investir cinco anos da sua vida plantando e replantando, fazendo tudo o que precisa ser feito, você enriquece.

Eu estou te ensinando com uma alegoria perfeita; o melhor negócio do mundo é plantar na terra. E a melhor coisa do mundo é você, porque você também é terra.

TAREFA - Os Agrotóxicos

1. Você já aprendeu a dizer "não"? Este é um agrotóxico poderosíssimo! Utilize este agrotóxico pelo menos 3 vezes esta semana. Relate aqui como foi isso.

2. Você já experimentou fingir demência? Teste este agrotóxico na primeira oportunidade e compartilhe a sua experiência com duas pessoas.

3. Qual o agrotóxico que você vai usar contra o medo?

4. Liste uma pessoa e uma situação, que você precisa usar um agrotóxico.

5. Compartilhe com alguém 2 agrotóxicos que você utilizou nos últimos dias e comente como foi seu resultado.

CAPÍTULO 23

COLHEITA

“Não é só plantar e colher; entre eles existe o cultivar.”

TUDO TEM SEU TEMPO

Você tem que gostar da colheita, mas antes vou te mostrar um versículo, ao qual muitos gostam de acrescentar uma desculpa. Sempre que perguntam: "Por que você não prospera?" Essas pessoas respondem: "É porque ainda não é o tempo de Deus." Elas usam a Bíblia de maneira equivocada.

Eclesiastes 3:1-2

1. Para todas as realizações há um momento certo; existe sempre um tempo apropriado para todo o propósito debaixo do céu.

2. Há o tempo de nascer e a época de morrer; tempo de plantar e o tempo de arrancar o que se plantou.

Só que eu vou te mostrar um segredo sobre plantar e colher. É simples: quando você tem uma semente, já tem dentro dela a data da colheita.

Vou dar um exemplo bem simples: um espermatozóide não tem tempo para começar a crescer, mas quando fecundado, tem o dia para nascer o bebê.

Preste atenção! Já tive crise com isso, perguntando assim: "Deus, por que a gente tem esse tanto de sêmen? O Senhor quer que tenhamos esse tanto de filhos?" Olhe a minha pergunta de menino! Deus respondeu: "Você tem sementes disponíveis o tempo inteiro. Pode usá-las o quanto quiser."

Eu ainda perguntei para Deus: "Então, por que você não dá a semente quando a gente decide ter filho?" E ele respondeu: "Você é como eu, multiplicador, com liberdade para multiplicar quando você quiser."

Eu, com crise de menino e Deus me elevando para um patamar que nem imaginava.

Você pira que a vida é assim? O tempo todo você tem sementes e pode usar da forma que quiser. As sementes estão sempre disponíveis; o homem carrega o sêmen o tempo todo.

Têm homens que nunca terão filhos, porque não querem. Há, também aqueles que acreditam que não podem e, para estes, existe o milagre.

Eu nunca vi alguém em um ambiente cristão não ter filhos, e quando eu falo ambiente cristão, é de quem acredita em Jesus e tem esse *life style*. Quem acredita de fato, não fica sem filho; a pessoa que eu vi que mais demorou levou dez anos, mas teve.

Afinal, o que é essa colheita?

Dentro da semente já tem a data de retorno; quer plantar morango? Leva oitenta dias, tem alguns que levam sessenta. Isso já está dentro dele, ou seja, a semente morre e frutifica nesse tempo. Se quer plantar jabuticaba, ela já tem um código escrito em seu DNA: frutificar com quinze anos; tem algumas que frutificam com dez. A tâmara do Egito leva até setenta anos para frutificar. Quem fica regando uma planta para colher daqui a setenta anos? Isso acontecia com a tâmara antiga; a nova, modificada geneticamente leva sete anos.

A semente já tem a data da resposta. Se você está agora "plantando" um negócio, esse negócio já tem a data de resposta.

Por exemplo, se você for fazer uma lavoura profissional e plantar hoje, pode agendar o maquinário da colheita, pois já sabe o código que ela carrega. Claro que pode calcular uma margem de erro, mas tem uma lógica, conta-se por semanas. Aí você agenda as máquinas para tal semana, chega a data marcada e tudo está pronto para a colheita. Não tem como errar, plantamos na terra milhares de anos.

Este capítulo é sobre colheita, e a colheita não é sobre sorte. Se não é sorte, você precisa saber quando plantar e colher. Você quer bater seu primeiro milhão? Coloque data.

Quando eu era menino, coloquei a data de sessenta anos, mas bati com vinte e sete. E esse milhão pode ser todo o seu patrimônio, dinheiro líquido, qualquer coisa, desde que somando tudo, dê um milhão de reais. Exemplo: se você tem uma casa que vale trezentos mil, vai pegar o ágio dela e somar. Se tem um carro, o valor que ele vale não é o da tabela Fipe, mas sim um valor abaixo, que se chama: ágio.

Só que primeiro você tem que colocar uma data; a colheita tem que ter data. Por isso, a primeira tarefa vai ser para você colocar data no seu milhão e a segunda vai ser somar tudo que você tem para saber quanto você tem hoje.

Se você está com R$ 233 mil, isso significa 23% do seu alvo, mas não se afobe, às vezes você plantou um alqueire até hoje e agora vai plantar cem alqueires. Então, não tente fazer conta, nem colocar data com base no histórico que você já viveu; se fizer isso vai pirar.

O que você faz na colheita? Você precisa amar a colheita, armazenar e comercializar aquilo que você plantou.

A colheita é tão importante quanto plantar, mas tem gente que não sabe fazer nada com o que colhe. Vamos aprender isso no próximo capítulo. Muita coisa está por vir; lembre-se, o fim é sempre melhor que o começo.

TAREFA - Colheita

---

1. Qual a data do seu primeiro milhão?

_____/_____/_____

2. Some todo seu patrimônio e veja quanto falta para atingir o seu milhão.

3. Leia na Bíblia o capítulo inteiro de Eclesiastes 3, tire as suas conclusões e as registre aqui.

4. Você colhe aquilo que planta. Como têm sido as suas colheitas?

5. Crie um plano de ação para você colher algo que faça o seu coração queimar. Quais estratégias você irá utilizar?

6. Se conecte a 3 pessoas e compartilhe sobre suas colheitas.

CAPÍTULO 24

COMO COMERCIALIZAR A COLHEITA

“Busque valor em tudo o que você faz.”

PREÇO X VALOR

Você tem que aprender a comercializar. Vários clientes que já tive reclamavam que não sabiam colocar preço nas coisas. Tudo que você faz tem que gerar valor, porque o preço tem que acompanhar o valor.

Por isso, nunca determine preço diferente do valor, porque se o preço for maior, vai impactar tudo o que está vendendo. Já, se o seu valor for maior, o seu preço pode subir quantas vezes você quiser.

Eu aprendi isso com um cara que se chama Marcelo Torquato. Nós fabricamos jeans nas mesmas facções e terceirizamos nos mesmos lugares praticamente. Vendíamos uma calça jeans por um preço, no atacado, enquanto ele vendia a dele pelo triplo do preço, também no atacado. E como ele conseguiu fazer isso? Começou a gerar um valor absurdo e colocou o preço que quis.

Não sei como está hoje, mas na época, há alguns anos, a marca do jeans dele era a página mais curtida do Brasil; muito mais que grandes marcas ou famosos. Ele começou a gerar um valor absurdo, e investia pesado em propaganda do Facebook. Eu me lembro que ele tinha uma equipe enorme e mesmo assim, não dava conta de atender todos os clientes, que muitas vezes ficavam bravos porque não conseguiam comprar. Tem base isso?

Isso é o resultado de quem gera valor.

Você tem que saber comercializar isso muito bem, porque se a semente realmente é boa, tem que colocar valor nela e o preço equivalente ao valor. Por exemplo, se eu planto milho, o que eu vou fazer com o milho que eu colhi? Não vou ficar fazendo mil modalidades com o milho, comendo pamonha, curau, milho cozido; ou seja, não vou mexer só com o milho que eu planto. Eu tenho que colher e converter o milho, e essa conversão é transformar aquilo em pecúnia.

Meu avô foi um grande fazendeiro, lá em Minas, plantador de café. Ele plantava café e eu milho. Suponhamos que nós vamos nos encontrar e eu quero comprar o café dele. Eu vou e levo milho para ele, só que ele não quer milho; mas tudo o que eu tenho é milho.

Então, o que eu faço para sair dessa área do escambo?

Para sair disso eu devo vender o meu milho, convertê-lo em pecúnia e arrumar uma forma melhor e mais barata para comprar o café que eu preciso. É muito simples.

Saber vender aquilo que você colhe é fundamental; precisa da conversão em pecúnia (dinheiro), assim você ganha velocidade e agilidade de compra. Com dinheiro você consegue comprar o que você quiser. Sacou?

Pablo, mas eu tenho dificuldade para vender. É o seguinte, você dá conselho de graça para todo mundo; o dia que você entender que o seu know-how custa dinheiro, vai começar a vender o seu conselho. Por isso, tem aquela frase: "Se conselho fosse bom seria vendido, não seria dado". Você pode pegar conselho de forma gratuita, mas as pessoas capacitadas irão te cobrar.

Você foi programado a fazer um monte de coisas de graça pelas pessoas. Sei que alguém vai falar que nós temos que fazer de graça mesmo; eu até concordo com isso, mas vou te contar qual o parâmetro que eu uso. Para calcular o meu "preço", penso no tempo que fico longe de casa; porque o que eu quero é curtir a minha família, pescar e aproveitar a vida adoidado. Quando me chamam para um trabalho, eu já dou o preço; falo que vai custar tanto, porque estão me tirando do meu conforto.

Muitas pessoas me chamam para ficar dando palestras em vários lugares, mas não vou; não é que eu não goste. É que eu prefiro ficar na minha casa. Se não for assim, eu vou tentar ganhar o mundo inteiro e perder a única coisa que é minha de verdade: a minha família.

Você precisa saber colocar preço, porque a sua vida vale muito. O tempo que você passa com a sua família, com seus filhos e seu cônjuge. Você tem que dar valor no que está colhendo.

Se você planta um e colhe cem, precisa saber vender isso. O problema de quem assusta com a colheita é porque quer dar tudo para os outros; não faça isso.

Você não vai ser mercenário por isso; as pessoas irão te respeitar porque você é uma pessoa de valor. Quando você quiser dar algo, dê, mas não viva sendo uma pessoa que dá tudo, senão logo você não vai ter nada. Dê o que for transbordo na sua vida; aquilo que não for, deixa para a sua família.

Tem um dos treinadores que andam comigo, eu o conheço há dez anos; ele tinha aluguel atrasado da casa, os carros indo para justiça, escola dos filhos, tudo atrasado, até que ele veio virar meu treinador. Eu perguntei: "Qual é a sua?" E ele respondeu que nasceu para ajudar todo mundo. Ou seja, ele já ajuda a pagar o aluguel da casa de alguém, mas da família dele, não consegue honrar.

Ele tinha uma crença limitante de que precisava sofrer porque Jesus sofreu, então fazia tudo pelos outros com muito sacrifício. É um cara incrível, sou fã dele, mas precisa aprender a honrar a família primeiro. A escola dos meninos estava mandando carta dizendo que ia ter que expulsar os filhos, o juiz querendo tomar o carro dele, o aluguel atrasado para despejar; sei que nunca vi alguém como ele, cuidava de todo mundo, menos da casa dele.

Você tem que comercializar suas ideias: o seu conhecimento acumulado, o tanto de livros que você já leu, todos os cursos que você já fez, as horas que você passou estudando; tudo isso precisa ser valorizado.

Tudo o que você está colhendo pode ser monetizado. Quando você quiser dar, faça isso em paz, sem tirar nada da sua família.

O fato de você aprender a transformar em pecúnia tudo aquilo que você colhe, vai fazer você colher coisas boas. Tudo tem como monetizar, só não monetize os seus relacionamentos. Mas o seu tempo envolvido em negócios, deve ser monetizado, nem que seja para aprendizado.

TAREFA - Como Comercializar a Colheita

---

1. O que significa pecúnia?

____

____

____

____

____

____

2. Escreva de que maneira você tem gerado valor.

____

____

____

____

____

____

3. Medite por 5 minutos e defina o preço da sua hora de trabalho.

____

____

____

____

____

____

4. Monetize um conhecimento que você adquiriu. Relate aqui como fez isso.

____

____

____

____

____

____

5. Conecte-se com 3 pessoas e descubra como elas têm comercializado suas colheitas; escreva aqui todos os aprendizados.

____

____

____

____

____

____

Agora deixa o "rio fluir", que só tem coisa boa para acontecer. E se você já é próspero, vá ensinar alguém, porque o verdadeiro próspero é aquele que transborda.

Grande beijo no seu coração e até a próxima!

#Tititiama #Tmjdf

Pablo Marçal

ANOTAÇÕES

ANOTAÇÕES

ANOTAÇÕES

ANOTAÇÕES

ANOTAÇÕES

ANOTAÇÕES

5.0

Método IP

ESPERO QUE VOCÊ TENHA FEITO AS TAREFAS E CURTIDO ESTE LIVRO.

Este é um convite — na verdade, uma convocação — para nos vermos pessoalmente no método IP. Quero lhe dar um abraço, olhar nos seus olhos e perceber a transformação que começou neste livro, pois você vai passar para próxima fase quando nos virmos no método IP.
Pegue seu celular aí e leia o QR code. Você vai ver que tem algo meu para você, fechou? Tamo junto até depois do fim, isso é só o começo.

Só aprenda algo, não olhe para trás. Continue marchando para o alvo, e não se preocupe em chegar antes ou depois de ninguém, não. Você só tem que atravessar a linha de chegada, e eu vou estar lá o esperando.

CAI PRA DENTRO

Pablo Marçal

CONHEÇA NOSSOS LIVROS

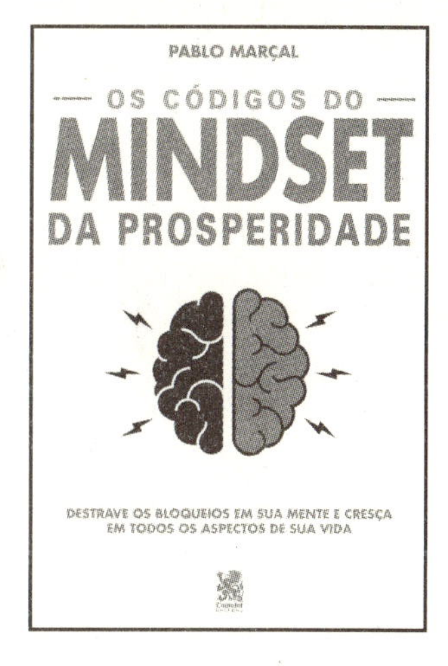

ENCONTRE MAIS
LIVROS COMO ESTE